翻轉學

翻轉學

邂逅改變人生的一本書

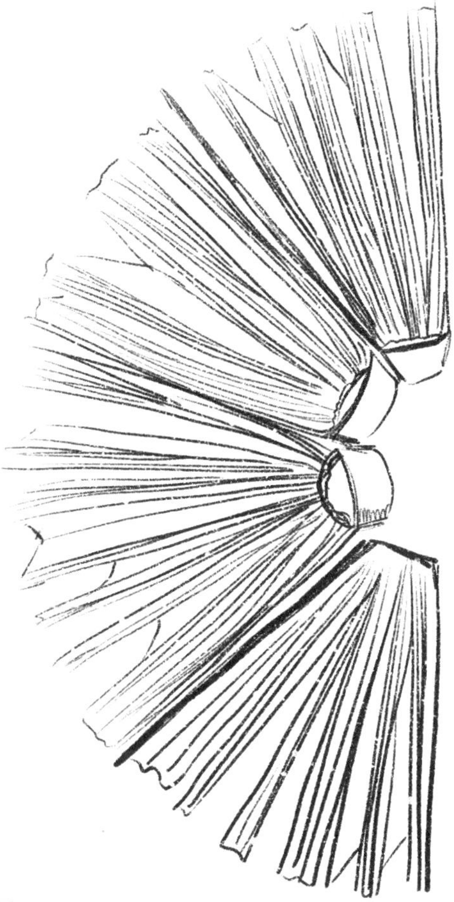

每一本書都是通往不同世界的門口，

讓無數人生變好的契機

三砂慶明 著　林冠汾 譯

千年の読書：人生を変える本との出会い

閱讀是博採廣納、鋪陳擴散，並且持續不斷地撼動人心。

——亞倫・班奈（Alan Bennett），《非普通讀者》（*The Uncommon Reader*）

目錄
CONTENTS

頂尖大學的高才生如何看時代的「臉色」
「心病」與社會的變化
不能離開半步的宮殿
名為想像力的傘
詩可以拯救人？
安全護欄的背後
通往自由之窗

第3章 尋找新工作方式之旅

書店員的聖地「定有堂書店」
思考新工作方式
不要為了填飽肚子而工作，而是為了生存而工作
購物與垃圾島
從「Me」變成「We」
找不到想做的工作
毫無貢獻的工作
可創造未來的工作

好評推薦

「與一本書的邂逅，是偶然，還是必然？我想答案，只有在踏出閱讀的那一步之後才會知道吧。你也想找到改變人生的那本書嗎？也許就是這一本。」

——劉奕酉，企業商務顧問、熱愛閱讀與分享的讀者

「每本書都是生命一頁紀錄，閱讀累積成功經驗，也遠離失敗的風險。讀書不一定能幫助你考取高分，但一定能引領你走向智慧道路。透過邂逅一本本好書，如同與多位大師對話請益，書中真有黃金屋！」

——鄭俊德，閱讀人社群主編的讀者

前言

為什麼人生需要閱讀？

因為閱讀，我的人生多次獲得拯救。

有一次，我跟好友不知道為了什麼芝麻小事，吵得不可開交，甚至鬧到絕交。回家路上，我在月台上等電車，閱讀日本作家色川武大的散文集《裡外人生錄》。因為這本書實在太有趣了，我一時興起，便打電話給剛剛絕交的好友，他聽到我講述這本書的故事後，忍不住哈哈大笑，我們的關係因此得以和解。

我喜歡打電話，卻不擅長接聽電話，就連打工時的電話也應對不好。就在我為自己的沒出息唉聲嘆氣時，熟識的二手書店主動提議說：「你只要坐著，如果發現有趣的書，再告訴我就好。」就這樣，我幸運得到了一份工作，簡直就像日本小說家筒井康隆的作品《書迷的家》中描述的工讀生。

一切如預料之中，畢業後我沒有立刻找到工作。幸運的是，有一家公司願意錄用我，然而，僅僅工作了一年，這家公司就宣告破產了。接下來，我該怎麼辦？我要依靠什麼來繼續生活？我一直在努力思考這些問題，然而時間卻無情地流逝，讓我感到孤單和無助。我的積蓄所剩無幾，為了應付基本的生活需求而做的工作也令我疲憊不堪，只能勉強應對眼前的工作量。我不禁思考，這難道就是我一生的寫照嗎？未來的日子裡，我將永遠無法與那些一路支持我的書籍有所交集。迷茫不知所措之際，某天翻開報紙，我看到了一則徵才廣告，一家剛開業的書店願意聘用沒有經驗的員工。於是，我開始振作，投了履歷，順利通過面試，一路走到了現在。

回顧我的人生，我發現自己經常感到挫敗。然而，深思熟慮後，我明白每個人只有活這麼一次。在這個獨一無二的人生中，我們都會遭遇前所未有的挑戰。面對第一次的經驗，我們無法有所準備，只能勇敢踏出步伐。有些人無所畏懼，但我面臨挑戰卻總是緊張，頭腦一片空白，全身顫抖。在這樣的困境中，只要我走進書店，總會有一本書溫柔地向我伸出援手，為我指引前方的道路。翻開書本，我能跟隨著作者共同閱讀，見證他們如何克服重重困難和災難，一步一步地踏上前人未曾探索的道路。

閱讀讓我領悟到，即使無力改變世界，只要用自己的方式來過好自己的人生，也能發現不同的世界。

有趣的是，當生活順遂時，書籍往往不會出現在我們的視線中。相反地，在面臨挫折、失敗和黑暗時，我們才會與書本邂逅。

羅馬帝國時代作家第歐根尼．拉爾修（Diogenes Laertius）在他的著作《名哲言行錄》（*Lives of Eminent Philosophers*）中，提到古希臘哲學家亞里斯多德的一句名言：「教育在順境中是裝飾品，在逆境中是避難所。」

古文字研究的第一把交椅弗羅德里克．G．肯永（Frederic G. Kenyon），在他的著作《古代書物》（*Books and readers in ancient Greece and Rome*）中，也提到亞里斯多德正是建立書籍體系，並加以活用的藏書家始祖，他寫道：「隨著亞里斯多德，古希臘從口述的教導，轉變為閱讀的習慣。」總之，多虧了亞里斯多德，我們才有幸擁有閱讀的習慣。亞里斯多德透過閱讀並收藏書籍，建立了智慧的體系，為我們的世界帶來了啟迪。古希臘哲學家蘇格拉底、柏拉圖和亞里斯多德的名言之所以至今仍然歷久不衰，我相信是因為這些名言是人類文化歷史的寶藏，一直流傳至今。

書籍擁有改變世界的力量。當我站在空蕩蕩的書架前，將一本本書籍排列整齊，還有跟書店客人進行交談時，我意識到了兩件重要的事：

1. **就算過著幸福生活的人，也需要「避難所」。**
2. **書能夠為面臨困難的人打開新的一扇門。**

英國女性主義先鋒作家維吉尼亞．吳爾芙（Virginia Woolf）在《自己的房間》（*A Room of One's Own*）一書中提到：

> 所有的傑作，都不是孤立地橫空出世的，而是經年累月共同思考的結果，是群體智慧的結晶；單一的作品發聲，但響徹其後的是眾人經驗的共鳴。

這段文字提醒我們，我們在書店不經意拿起的一本書，其實就像地下水脈般與人類的歷史密切相連。就像維吉尼亞．吳爾芙所說：「莎士比亞不能沒有馬婁；馬婁不能沒有喬叟，而喬叟也不能沒有那些已被遺忘了的詩人，是他們雅馴了自然語言中的粗鄙之處，為後人鋪平了道路。」

千年前的作品《源氏物語》，至今還可以在書店的架上，發現到這本書重新出版。菅原孝標女＊一直渴望閱讀這本書，並在《更級日記》中，描述了當她收到阿姨送給她《源氏物語》

時的感動與興奮之情：

拿著禮物回家時，讓我興奮不已，簡直欣喜若狂。過去，我只知道《源氏物語》的片斷內容，也未能理解故事的來龍去脈，因此總是感到困擾。然而，現在我可以在不受到任何干擾之下，獨自坐在布簾後，從第一集開始，從書櫃裡一本接著一本拿出來閱讀。擁有眼前這份幸福，身後發生的事也變得微不足道。

——《新編日本古典文學全集26》

即使在千年前，閱讀自己喜歡的書總能帶來喜悅。細細品味著菅原孝標女的文字，我們一次又一次回到讀書的初衷。閱讀的目的不只是為了達到某個目標，而是因為內容引人入勝，讓我們無法自拔、一頁又一頁地翻閱。最棒的是，那些使菅原孝標女欲罷不能的書籍，至今仍然可以在世界各地的書店和圖書館中輕鬆取得，而不只局限在日本。

＊菅原孝標女是日本平安時代的一位貴族女性。

我們「偶然」邂逅一本書，但這真的只是「偶然」嗎？德國青少年文學作家麥克・安迪（Michael Ende）在《我讀過的書》（*Mein Lesebuch*）一書中，向讀者提出了這樣的疑問：

> 當你站在人生的分岔路口陷入苦惱時，如果在恰巧的時刻，拿起一本恰巧合適的書，恰巧翻到了合適的頁面，也恰巧找到了合適的答案，你還會認為那是偶然嗎？

為什麼人生需要閱讀？我決定寫下這本書，無非就是想要探索這個問題。

我們恰巧走進某家書店時，邂逅某一本書真的是偶然嗎？

每天都有新書上架，也不斷有人拿走，從時時刻刻都在變動的書櫃上，這本書以人生不可或缺的七個主題為架構，搭配主題挑選出如星辰般熠熠生輝的書籍。在介紹書籍內容時，有些部分無法直接引用，我會以自己的方式描述。如果本書所介紹的書籍中，有一本書能夠引起你的興趣，那我將感到無比欣慰。

這本書是我的小小心意，誠摯邀請大家一起感受書中世界的美好。願你我在今天也能夠與書籍有一段新的邂逅。

第1章

通往書籍世界的大門

大學時，我修過戲劇學。那時，我有個立志成為演員的同學，也會站上舞台表演。然而，當他讀了法國作家安東尼·聖修伯里（Antoine de Saint-Exupéry）的小說《夜間飛行》（*Vol de Nuit*），發生了改變。他受到這本書的影響，決定成為一名飛行員，最終實現了他的夢想，成為了一名機師。

那位同學一邊工作，一邊默默存錢，報考航空學校，最終成為機師。親眼目睹他花費了許多努力和歲月，讓我深深體會到一本書所擁有的巨大力量。

不論時代、地點和語言，書本都擁有改變人生的力量。一個人與書的邂逅，可以讓他的世界在閱讀前和閱讀有天壤之別的改變。很奇妙的是，具備這股力量的書籍，往往近在咫尺。

我參訪位在日本四國的伊丹十三紀念館時，入口處展示著日本導演伊丹十三的手寫原稿，我不禁看得入神。

「當一個愛書人站在書店的書櫃前，所需之書彷彿自動映入眼簾，宛如書本發出呼喚，吸引著我朝向它走去。」

距離那次參觀已經過了好幾年，所以我對內容的記憶或許有些出入，但我還記得那時候自己起了一身雞皮疙瘩。珍貴的書籍不容易找到，也不容易邂逅。在《家常便飯》一書中，博學多聞的日本專欄作家山本夏彥寫了一篇名為〈書店〉的文章，他形容那些二手書店的書櫃，就像是「書籍墳墓」，照亮著柔和的燈光，給人一種仙境般的感覺。

一踏進書店，我意想不到的是，數十年來默默待在書櫃上的書本，突然活了過來，以自豪的表情注視著我。儘管他們知道我只是個無緣的書生，它們都恢復了原本的狀態，但有時，我還是會遇到超越百年時空的場景，彷彿彼此渴望著能夠相聚的一刻。

書店的書櫃是一封獨一無二的邀請函，只為了你在特定的時間和地點前來的那一刻所準備。當然，與書本的邂逅不只局限於書店，也可能發生在二手書店、圖書館，或是朋友或伴侶的書櫃上。甚至在與母親的交談中，或報章雜誌中，我們都可以與書邂逅。每天，我們總是在忙碌中與眾多書籍錯過，很少有時間可以靜下心來好好閱讀。

其實，不閱讀，也能過活。在《讀書論》（*On Reading and Books*）一書中，德國哲學家叔本華提到，「所謂閱讀是以他人的想法，而不是以自己的想法思考。如果持續閱讀，腦中就會不斷被灌輸他人的想法。……對於想以自己的想法思考的人來說，閱讀只會是負面的舉動。」我必須很遺憾地說，這或許是正確的觀點。

如果為了應付考試，死背得來的知識，考完就會全部忘光。但如果因為好奇心或感興趣而學習的知識，能夠牢記一輩子。這是我從《傳說中的灘校國文課》一書中，所明白到的一件事。

灘校的橋本武老師採用了獨樹一格的教學方式，他完全不用教育部指定的教科書，而是參考岩波文庫出版的文學作品《銀湯匙》自製成教材，讓學生花了三年的時間閱讀。上課前，橋本會先問學生喜不喜歡國文，得到的答案是約五%喜歡、五%不喜歡、九〇%不喜歡也不討厭。

三年後，課程結束時，他又問了學生喜不喜歡國文，結果有九五%的學生回答喜歡。為什麼多數學生會變得喜歡國文呢？橋本武回說：「從玩樂中學習，才是人生的至高喜悅。」人們在玩樂時會主動參與，但大部分的學習都是在被迫之下參與的。

橋本說，國文是學習任何事物所需的「主幹」。事實上，這群變得喜歡國文的學生，讓沒沒無聞的灘校成為東大錄取率日本第一的學校。然而，現今的學校教科書漸漸失去這個重要的「主幹」。日本文藝家協會前理事長出久根達郎，在二〇一九年發表了一份「高中・大學銜接『國文』之改革聲明」。這份聲明提到因二〇二二年度即將實施新「學習指導要領」，這使得一群作家和知識分子感到擔憂，深怕高中的「國文科」會變得重視實用文的解讀而輕視小說。

倘若文學從國文課本裡消失，究竟會怎麼樣呢？瀧本哲史在《讀書是一種格鬥技巧》一書中指出：

> 我個人認為，多數日本人最常閱讀的書本，其實是「國文教科書」。當然了，教科書不是由政府指定，而是檢定，所以有來自多家教科書出版社的不同版本教科書。然而，各出版社的教科書裡都保留著多個相同文學作品，數十年不變。

從數十年不變的作品中，瀧本舉出了日本小說家中島敦《山月記》和中國近代作家魯迅的《故鄉》。如果瀧本的假設是對的，我想也就沒有必要在這裡特描述這兩個作品的故事大綱。一旦文學從國文教科書裡消失，我們不僅會失去學習事物的基礎，還會失去為數不多的共同讀書體驗。

周遭的書店一家接著一家迅速消失。二〇一七年八月，朝日新聞以「近兩成地方行政區面臨零書店局面」的標題，報導出連一家書店也沒有的日本地方行政區逐漸增加的事實。人口減少、網路書店的轉移、雜誌市場萎縮、接二連三的經營狀況惡化；在多重影響下，書店調查公司Almedia的調查結果發現一九九九年日本還存在兩萬兩千兩百就十六家書店，但到了二〇二〇年五月一日的這個當下，已經減少一半到只剩下一萬零二十四家。

根據日本文化廳*從一九九五年開始每年實施的《國文相關輿論調查》，二〇一八年，整體有四七．三％的人回答一個月連閱讀一本書也沒有，「閱讀量減少」的比例超過半數，達到六七．三％。與過去的調查結果相比，閱讀量也有減少的趨勢。話雖如此，但我也不會因為這樣就想要向大家強調閱讀是一件多麼美好的事。不論好壞，書都具有非常強大的力量，就算沒閱讀，我們也很難在不受到書本的影響下生活。

一九二五年，德國出版了一本書。這本書充斥著誤解、扭曲的事實和煽動的內容，當初出版社認為不可能暢銷，所以首刷只印了五百冊。然而，出版社的預測失靈，這本書大大改變了世界。隨著作者的活躍表現，加上讀者的助力，這本書成為了超級暢銷書。到了一九四〇年時，這本書已經創下五百七十刷的紀錄，累積銷售數量突破七百萬冊。這本書的作者是阿道夫．希特勒（Adolf Hitler），書名為《我的奮鬥》（*Mein Kampf*）。回顧歷史時，也會發現有不少具有邪惡力量、可點燃人類黑暗欲望的書籍。

無論是有閱讀的人生，還是沒閱讀的人生，我們都會在不知不覺中受到書籍的影響。為什麼週日要放假？為什麼地圖是四方形？我們一直生活在書籍編織出來的世界，只是自己沒有察覺到罷了。

「有閱讀」和「沒閱讀」，人生有什麼差別？

「有些人經常閱讀，有些人幾乎不閱讀，請問哪種人的人生比較幸福呢？整體看起來，不閱書的人似乎比較能夠樂觀享受人生，村上先生您覺得呢？（貓星、四十多歲無業女性）」村上春樹在《以村上先生的例子來說呢？》一書中，針對這位讀者的提問給了這樣的答案：

「這還用說嗎？哪怕得不到幸福或被人討厭，閱讀的人生還是遠遠好過不閱讀的人生。」

好一個簡單明瞭又美麗的回答。

「閱讀的人生，還是遠遠好過不閱讀的人生。」

為什麼呢？我也試著思考了這個問題。簡單來說，我認為原因就在於書籍可以帶領讀者前往未知的世界。透過閱讀，我們有可能認識在這世上不可能實際見到面的人物、得知不曾見聞過的事物，或純粹覺得內容有趣。就在一頁接著一頁讀得津津有味之間，眼前的景色也會逐漸改變。讀著讀著，讀者會找到只屬於自己的新發現，慢慢拓寬只屬於自己的地圖。

＊文化廳為日本行政機關之一，隸屬於日本文部科學省，負責統籌日本國內文化、宗教交流事務。

我們總是想要知道很多事。明天的天氣好不好？熱水瓶的水溫現在幾度？包裹什麼時候送達？鄰居家的狗是什麼品種的狗？從日常生活中的瑣碎小事、過去的紀錄到還沒有發生的未來，我們都想知道。知道了又怎樣呢？對於這種小小疑問，我們毫不在意，就是想知道而已。我們想知道的事物永無止境。

古希臘哲學家柏拉圖在以探究何謂知識為主題的著作《泰阿泰德》（*Theaetetus*）中，提到蘇格拉底曾說：「驚奇（thaumazein）正是智慧的熱烈追求者應有的情感，追求智慧（哲學）始於驚奇。」另外，萬學之祖亞里斯多德的代表作、探討哲學第一原理何謂存在的《形而上學》（*Metaphysics*），在第一行即提到「人人天生有求知欲」。十八世紀中期，瑞典博物學家林奈（Carl Linnaeus）將人類歸類為靈長類，並以拉丁語命名為「*Homo Sapiens*」。屬名 Homo 代表「人」、Sapiens 代表「智慧」之意。也就是說，林奈以「智慧之人」來稱呼人類。

那麼，這個可以讓人類表現得像人類的智慧究竟是什麼？智慧的存在，是因為每個人都無法忍受人生只是每天不斷反覆做相同的事，而想要有新的發現嗎？

捷克籍德國小說家卡夫卡（Franz Kafka）在寫給他的朋友奧斯卡．波拉克（Oskar Pollak）的信中，將對於「驚奇」的嚮往比喻為「斧頭」。

如果我們正在閱讀的書，沒有像一拳揮向頭骨般喚醒我們，又為何要閱讀？是因為像你寫的一樣，閱讀可以使我們幸福嗎？天哪，應該說如果沒有書，我們反而才會得到幸福吧？緊要關頭時，我們也可以自己寫出一本能夠讓我們幸福的書，不是嗎？然而，我們需要的是那種能夠讓我們覺得彷彿陷入最痛苦的不幸、彷彿某個你愛對方勝過自己的人死去、彷彿被迫遠離所有人而流放到森林裡、彷彿自殺身亡般的書。所謂書，必須是砍向我們內心冰封大海的斧頭。這就是我所相信的。

——《決定版卡夫卡全集9》

五千年來，人類持續紀錄「砍向我們內心冰封大海」的驚奇和發現。不論好壞，我們所得知的事物，都會以某種形式留下紀錄。如同浮在漆黑宇宙的星辰，名為「書」的紀錄就像星座般串連在一起，照亮人類一路走來的路。

最初，在美索不達米亞，人們利用黏土留下紀錄。在古埃及，則是利用「具芒碎米莎草」（Cyperus microiria）的莎草莖。帕加馬王國（Pergamum，現為土耳其）是利用獸皮。印度、斯里蘭卡和泰國是利用樹葉。在中國，最初是紀錄在骨頭和龜甲上，後來轉為紀錄在木片、竹片和絹帛上。

後來，中國發明了「紙」、谷騰堡發明了印刷機。拜這兩項技術所賜，我們得以當一個讀者。到了二十一世紀，隨著平板電腦的誕生，我們得以活在可以把無限書籍收在口袋裡的世界。只要開啟書本，就能開啟通往未知世界的大門。閱讀前不曾見聞過的存在，在閱讀後就會化為已知的存在，每次感受到這般驚奇時，都會讓人覺得是一種奇蹟。

閱讀不會變聰明，但會……

說來愚蠢，我一直深信只要保有閱讀習慣，總有一天會變聰明。就這樣，我憨直地持續讀了三十年，但遲遲沒有見到變聰明的跡象。就在我猜想肯定是自己閱讀量和品質都不足時，邂逅了日本作家保坂和志的作品《跳脫文字》。

> 閱讀出色的書作時，時而會讓我重新認知到所謂的讀書，是指「閱讀精神的驅動」，而不是在累積或搜尋資訊。

閱讀，是一種「精神的驅動」。這句話完全不在我的想像範圍內，我不禁看得發愣。雖然「驅動」這個字眼教人在意，但在閱讀保坂和志的文章時，我的腦海裡一直浮現父母在我上小學時帶我去過的鈴鹿賽道。

週日，鈴鹿賽道舉辦了讓小朋友參加的卡丁車大賽，儘管根本沒有開過車，但在那愉快的氣氛吸引下，我還是喜孜孜地參加了比賽。

我第一次坐上卡丁車，站下油門踏板在正式的賽車場上全力奔馳。雖然過程慘不忍睹，時而過不了彎，時而直接衝上路緣，但手握方向盤，把油門踩到底奔馳的感覺愉快極了。

閱讀或許就像這種感覺吧。

賽道上，一整排裝上引擎的車子。一翻開頁面，引擎就會啟動，每位車手紛紛踩下油門、操控方向盤，奔向終點。有的車手會為了追求名次而朝向終點直奔，有的車手喜歡欣賞風景，也有車手享受著與同伴一起奔馳的樂趣。有時可能歡呼聲四起，有時可能只是默默地衝破終點線帶。不過，**閱讀之後，一股堅持到最後的成就感會靜靜湧上心頭，讓人感受到自己確實活著**。當然也有後悔的狀況：「我當初怎麼會挑這本書。」但對於自己為什麼需要書籍的存在，我已經懂得如何以言語來表達。

人讀書？書讀人？

古希臘人一向好勝，以奧林匹克競賽為首，古希臘人也促進了辯論術的發展。不僅運動，古希臘人連思想都要清楚分出勝負的表現，讓人不得不佩服他們真是徹頭徹尾的爭強好勝民族。日本宇宙物理學家佐藤勝彥在《越看越醒腦的宇宙故事》一書中提到，「正是這群好勝的古希臘人，喚醒人類以合理思考來看待活在神話世界裡的人們」。

為了從支配者強勢灌輸的神話世界觀之中逃脫，古希臘人開始自己動腦累積合理的思考，試圖找出世間真理。以古希臘三大哲學家蘇格拉底、柏拉圖、亞里斯多德為首，一群人反覆與人們對話，把人類的最大難題「何謂真理」釋放到世上。於是，人類開始像著了魔似地持續挑戰這個禁忌問題。英國哲學家阿爾弗雷德・諾斯・懷海德（Alfred North Whitehead）在其主要著作《過程與實在》（*Process and Reality*）中，描述到「若要對歐洲哲學傳統作最保守的一般描述，它是由對柏拉圖的一系列註腳組成」。意思就是，我們至今仍身處在柏拉圖留下的哲學軌跡上。

柏拉圖曾在與蘇格拉底的對話中提出「理型論」、被譽為萬學之祖的亞里斯多層以經驗主義展開批評、主張超人哲學的尼采曾試圖從根基推翻理型論；希臘哲學一直是後進哲學家的參考存在，並且以必須被超越的高牆姿態擋在哲學家的面前。這道高牆上有幾處窗口，讓一路閱讀的讀者們時而可以看見宛如世外桃源般的美麗景色。

然而，歐洲中世紀長達千年的黑暗時代，吞噬了古希臘哲學家們所孕育出來的合理思考。不過，哥白尼、伽利略、牛頓等天才們救出古希臘的合理思考，大力揮去了黑暗深淵，讓世界再次點起明亮的光芒。文藝復興時代來臨。

古希臘的哲學化為古典，隨著每一次的時代變遷，被後世人們延續閱讀，其世界觀變得更具深度、更具厚度，進而衍生出嶄新的生存之道、思想，並綻放美麗花朵，使我們現今生存的時代變得多采多姿。

世界聞名的符號學家也是暢銷作家，更是二十世紀義大利知識分子代表的安伯托・艾可（Umberto Eco），他與法國導演凱立瑞（Jean-Claude Carrière）在《別想擺脫書》（*N'espérez pas vous débarrasser des livres*）一書中，針對「永垂青史的傑作祕密」有過一段對談。

> 歲月流動之中，我們的解讀會緊緊纏住每一本書。我們不會照著莎士比亞所寫的內容來閱讀莎士比亞。因此，我們所閱讀的莎士比亞，遠遠比問世當時被閱讀的莎士比亞來得多采多姿。

一本傑作想要永遠是傑作，就必須「被人知道」。也就是說，當作品能夠藉由吸收其喚起的解讀，更加有力地發揮其個性，傑作就會被認知為傑作。不為人知的傑作之所以存在，是因為沒有足夠的讀者。這些傑作沒有被充分閱讀，也沒有被充分解讀。說穿了，現今之所以有聖經的存在，都是多虧了塔木德（Talmud，彙總了猶太教的「口傳律法」及該注釋的書）。

艾可說了這麼一段話之後，凱立瑞回答：「**書籍當然會隨著每次被閱讀而改變樣貌，如同我們不斷經驗的事物也會改變樣貌一樣。偉大的書籍會一直活在世上、持續成長，並隨著我們一起變老，但絕對不會死去。隨著歲月累積，作品將變得肥沃，也會改變樣貌。相反地，無趣的作品會從歷史一旁滑落，最後消失不見。**」如凱立瑞所說，傑作並非一開始就是傑作，而是歷經人們的閱讀才逐漸化為傑作。所以，過去所撰寫的作品，會變得比撰寫當時更加多采多姿。原因是，這些作品從它們誕生的時代，便開始吸收龐大讀者所累積的閱讀，一路成長茁壯。

古典也可稱為 Classic，但多數出版社會以複數的 Classics 來做標示。我認為這應該是一種表達敬意的舉動，因為書不是個體存在，一本書的背後除了作者之外，還存在著複數的聲音。我們所生存的現代是一條橫軸，而古典會化為指引線勾勒出縱軸，在橫軸與縱軸的交叉處，肯定會有只屬於自己的發現和驚奇。

一億四千萬分之一本

如果說書籍擁有力量，那麼最能發揮該力量之處會是最艱困的地方、最艱困的人。在屬於其中之一的戰地，書籍也發揮了強大的力量。

經過嚴謹的採訪所寫下的真實紀錄《書本也參戰》（*When books went to war*）中，描述了納粹德國除了納粹大屠殺之外，還進行了另一個屠殺行動，也就是書籍大屠殺。一九三三年，希特勒掌握政權後，納粹德國在本身是愛書人的宣傳部部長戈培爾（Joseph Goebbels）的主導下，於第二次世界大戰結束前禁止出版、焚燒了超過一億本書，這些書籍就此從世上消失蹤影。

法國之所以飲恨戰敗，據說原因之一在於納粹德國的政治宣傳戰略。希特勒在法國派出軍隊之前，利用廣播動搖了法國人民的心。美國雖然在納粹德國的遙遠另一方，但也不敢鬆懈。為什麼呢？因為納粹德國早已在日本的協助下，向北美播放政治宣傳的廣播節目。

美國媒體揭露了納粹德國的廣播節目實態後，多數團體立刻憤而起身。其中一個團體即是美國圖書館協會（American Library Association, ALA）。為了保護國家不會因為受到納粹德國的無形攻擊而陷入焚書危機，美國的圖書館員們反覆討論對策。圖書館員們最後得到的結論是，「面對心理戰時，書籍就是最強的武器與防具」。

與焚書背道而馳的行為即是讀書，既然希特勒想要控制言語和思想來強化法西斯主義，我們就促使人們自由讀書；美國各地的圖書館員們起身奮戰。美國各地在一個月內寄贈了一百萬本書給士兵。光這樣還不夠，美軍和美國各地的出版社出版了平裝書，共寄出約莫一億四千萬本書到戰地。

贈書可以帶給人力量。這些書籍送達戰地後，士兵們爭先恐後地閱讀，甚至反覆閱讀到連文字都模糊了。一名在戰地失去親友、表示自己心如死灰的二十歲士兵，因為閱讀了貝蒂・史密斯（Betty Smith）的書而重新找回生存的力量。

> 我無法說明那是一種什麼樣的情感，但內心就是湧現了一股情感。我的心重新活了過來。我也變得有自信，覺得人生只要願意努力，凡事都能夠迎刃而解。
>
> ——《書本也參戰》

感動不已的士兵寫了感謝信給作者，展開了作者與讀者的溫馨交流。作者透過寫作來鼓舞讀者，讀者則是透過閱讀來鼓舞作者。兩者的應答就像既不知道時間，也不知道場地，甚至不確定能不能送達的瓶中信，讀著讀著，我也覺得自己像喝下了暖呼呼的熱湯般暖在心頭。

對有些人來說，送達戰地的書籍是幫助他們逃離孤獨無趣日子的車票；對有些人來說，書籍讓他們得以回想起變得遙遠的日常生活。書籍讓受了傷的士兵忘卻疼痛，為他們填補因為戰爭而破了大洞的心靈，甚至拯救了他們的人生。

書可以讓心靈獲得自由

有時，哪怕內心嚴重受創，也能藉由書籍讓心靈復活過來。《書本也參戰》讓我明白了透過他人的思考和人生，能夠為自己開啟未知的大門。

然而，對於未知世界的好奇心往往伴隨著恐懼心。原因是足以改變人生的邂逅能夠豐富心靈，並開啟未知世界的同時，另一方面也暗藏著可能遭遇無法理解之厭惡或暴力的危險性。不過，有人說過「只要不逃避那股重壓，勇敢踏出一步，就能欣賞到不一樣的景色」。這個人就是《監獄讀書俱樂部》（*The Prison Book Club*）的作者安・沃姆斯利（Ann Walmsley）。

沃姆斯利曾遭遇過搶匪攻擊，因而受到創傷後壓力症候群（posttraumatic stress disorder, PTSD）的折磨。友人看見沃姆斯利無心工作且悶悶不樂的模樣，便邀約她參加監獄舉辦的讀書會。儘管依舊受到罪犯所留下的印象折磨而感到遲疑，沃姆斯利還是下定決心參加了讀書會。一開始，沃姆斯利因為害怕罪犯而緊張不已，但一群愛書的受刑人的話語和態度感動了她，漸漸熱中於讀書會。罪犯們把自己犯下的過錯和人生投射在書籍上，埋首讀書，並紛紛說出讀後感想。

> 用來排遣時間、只是幽默風趣的小說已經勾不起我的興趣。我想要知道作者在思考什麼？用了哪些字眼？以什麼樣的口吻來表達。我以前讀過美國作家西德尼・謝爾頓（Sidney Sheldon）的作品或是奇幻故事、童話故事之類的，但我現在不需要那種不是凡人的故事，我喜歡閱讀真實人生的故事。

某囚犯跨越人種和族群的框架，也打破自己設下的「在監獄裡絕不與他人往來」的禁忌，聊起自己閱讀完的書籍。讀了安・沃姆斯利的這本書後，讓我大受鼓舞，原來聊起閱讀過的書就會停不下來的人不只有我！

監獄的四周被高牆團團包圍，所以無法一眼望盡外面的世界。囚犯有可能出得了獄，但就算順利出獄，也不知道在那之後能否三餐溫飽。監獄的會客很少，溝通也受到極端的限制。受刑人為了彌補罪行，持續忍受艱辛的生活。正因為如此，安．沃姆斯利更希望能夠把可以觸動受刑人內心的書籍送到他們的手中，於是一本一本慎重挑選讀書會的閱讀書籍。書中有個場面令我印象深刻，安．沃姆斯利詢問受刑人讀過的書中，最喜歡哪本書？一名來自加拿大的受刑人這麼回答：

> 不應該說最喜歡哪本書，而是每讀一本書，就會覺得自己內心有某扇窗打開來。因為每個故事都描述出各自的嚴酷狀況，閱讀這些故事可以讓我看清楚自己的人生，甚至細微處也一清二楚。讀過的每一本書都像這樣塑造出現在的我，也教會我如何看待人生。

這段話讓我得到省思，**事實上沒有絕對的名著或好書，應該說被拿起閱讀的那本書因為與讀者邂逅，才會慢慢產生化學反應。**

每個人都會陷入迷惘、不安、沮喪、失望，並且在這之中為了各自的人生努力過活。這本書讓我明白了一件事，即便得不到幸運女神的眷顧，我們還是能夠在書架上找到最佳好友。還有，只要鼓起勇氣踏出第一步，也能夠結交到可以一起談書的朋友。

感激讓人實現不可能的事物

描述英國探險家歐內斯特・沙克爾頓（Ernest Shackleton）一生的《堅忍號漂流記》（*Endurance*）教我一件事，即使陷入絕望深淵，只要有不屈不撓的意志，就能夠克服任何困難。

這本書當初之所以有機會被翻譯成日文版，是來自於一位攝影師的感動。一九八三年，攝影師星野道夫為了在進入嚴冬期的阿拉斯加山脈拍攝北極光，帶著幾本書度過了一個月的帳篷生活。只要翻開星野道夫的著作《阿拉斯加，光與風》，就能感受到他在寒冷極地儘管傷風感冒，也凍了傷，還是一邊耐心等待不知何時才會出現的北極光，一邊閱讀書籍、雜誌時吐出的白色氣息。

二月二十一日　一片晴朗，北極光現身的絕佳氣候。然而，等待到深夜兩點，仍不見北極光現身。《堅忍號漂流記》，一本了不起的真實故事。

很久以前朋友就推薦我閱讀《堅忍號漂流記》這本書。雖然早已絕版，但很多人跟我分享過關於這本書的內容。堅忍號是一艘在一九一四年從挪威出發的南極探險隊的船名，當時由歐內斯特．沙克爾頓擔任隊長。這艘船在南極近海被浮冰困住而觸礁。故事內容描述了由沙克爾頓隊長率領的共二十八名隊員如何在觸礁後的半年時間，乘坐小船在南極海域漂流，最後奇蹟生還的一連串紀錄。沙克爾頓的這趟旅程因為阿蒙森（Roald Amundsen）和史考特（Robert Scott）等探險家的存在，而幾乎不為人知，但其中有著令人難以置信的故事。隊員在極限狀態下的心境變化讓人讀得津津有味。閱讀英文一向慢吞吞的我，以驚人的速度讀完了這本書，由此可見它是多麼地有趣。這本書的第一頁寫著下面這句話：

In appreciation for whatever it is that makes men accomplish the impossible.
（把感謝獻給可以使人類達成不可能任務的某種力量）

我與這本書的邂逅，是在大學的課堂上。英文學的教授走進教室後，先是環視想要選修該課的學生們一遍，跟著以飛快的速度在黑板上寫出一串英文。

「徵男性。旅程無比艱辛。薪資微薄。極度寒冷。漫長的黑暗日子。危險重重。無生還保證。成功之際可得名譽與讚賞。」

教授為學生翻譯成日文後，表情嚴肅地說了起來：「讓我們一起踏上英文學的冒險旅程！不過，這會是一趟危險之旅！」教授表現得越是激昂，那股熱度越是讓學生心生恐懼，開始有學生趁機溜出教室。後來，教授才告訴我們，以英文學課來說，稍嫌誇張的這段英文是當初沙克爾頓在報紙刊登的徵人廣告內容。在英國，有超過五千人回應了沙克爾頓的請求，但在英文學的教室，則是寥寥無幾。後來的實際上課內容是以傑克・倫敦（Jack London）和奧斯卡・王爾德（Oscar Wilde）為主，所以一開始的那段說明究竟是怎麼回事？每次回想起這件事，總讓我感到不可思議。不過，教授那天說的話在我的腦海裡揮之不去，所以在下課後的回家路上，我去到三省堂的神保町本店買了《堅忍號漂流記》後，立刻讀了起來。

挑戰橫越南極大陸的沙克爾頓探險隊在途中不幸沉船，被迫留在極度冰冷的大海上。天氣凍得連腳趾頭也裂傷，糧食也沉入大海。沒有獲難的可能性、長達十七個月的漂流生活，也曾被形容是探險史上的最大失敗，但為何這個最大失敗能夠超越時代和地點深深吸引讀者？其原因在於探險隊的所有隊員絕不放棄生存的意念。隊員們有著堅忍不拔的精神，以及彼此互相為對方著想的深厚信賴。不論面臨再深的絕望，也堅信終有一天會見到美麗的希望之光。沙克爾頓沒有抱著只要自己獲救就好的心態，而是只以「所有人都要獲救」為前提來採取行動，最後締造了比成功橫越南極大陸更加神聖的奇蹟。

開始閱讀後就停不下來，我一路閱讀到了清晨。讀完後，忽然覺得肚子很餓。我才發現自己什麼也沒吃，於是到公寓附近國道旁的立食蕎麥麵店，吃了蕎麥麵。我想吃熱騰騰的蕎麥麵時，想吃幾碗就能吃幾碗，這麼想之後，忽然為自己能夠擁有這份幸福而莫名感動。

當初是星野道夫給了這本書被翻譯成日文的機會，為了表達敬意，這本書一開頭寫出了星野道夫所翻譯的「把感謝獻給可以使人類達成不可能任務的某種力量」。讀完整本書後，又讀了一遍這句話，淚水隨之奪眶而出，連我自己也驚訝不已。

二十萬次的眨眼

在南極海觸礁而無法獲救的漂流生活固然嚴酷，但有人陷入更教人絕望的狀況。這個人就是遍布世界各地的時尚雜誌《ELLE》總編輯尚－多米尼克・鮑比（Jean-Dominique Bauby）。

在鮑比引頸期盼的金屬銀 BMW 新車交車這一天，他的身體出現了異狀。

處理完客訴、結束與憂鬱董事長的餐敘後，鮑比為了與分居中的兒子共度時光，駕著新車在郊外奔馳時，忽然感到視線模糊，隨即失去了意識。鮑比在昏睡二十天後醒來，雖然免於一死，但陷入「閉鎖症候群」（locked-in syndrome）的窘境。所謂「閉鎖症候群」，是指儘管意識清楚，卻只能靠眼部動作與外界溝通的狀態。鮑比的身體動彈不得，也無法開口說話，連想要自己吞口水也做不到。鮑比只動得了左眼，以眨眼來取代語言是鮑比僅存的，與外界溝通的唯一手段。

鮑比陷入極度悲傷，感覺到自己的身體變得不屬於自己。這份悲傷被鮑比形容成彷彿穿著潛水衣，獨自往海底沉去。然而，覺得自己被獨留在深海裡的鮑比，看見了一道光芒從海面射來。

「語言治療師」。掛在桑德琳的白袍上的名牌寫著這個字眼，但這個字眼的正確讀法應該是「守護天使」。

——《潛水鐘與蝴蝶》（*Le Scaphandre et le papillon*）

多虧桑德琳的巧思，將法文字母依使用頻率的高低，重新排列出鮑比專用的字母表*，使得鮑比得以只靠眨動左眼，與人「交談」。

> 這個手段相當原始。也就是請人依照順序一字一字讀出重新排列過的法文字母，到了想要表達的字母時，我就眨動唯一動作得了的左眼。

儘管只能動作左眼、儘管半張開的嘴巴不停流出口水，鮑比仍然保有他的機智與幽默。鮑比利用這份法文字母表，只靠著眨眼「寫信」給六十人，引起了大騷動。

被朋友們以植物人來看待，讓鮑比憤慨不已。鮑比為了證明「我這個植物人的智商高過植物」，所以持續眨眼寫信。這個舉動掀起周遭人們的熱烈回應，在那之後，鮑比繼續以眨眼挑戰起「寫書」這項偉業。

一天三小時持續長達兩個月，累計二十萬次的眨眼而問世的《潛水鐘與蝴蝶》席捲法國，

---

* 一個按照法語字母使用頻率（ESARINTULOMDPCFBVHGJQZYXKW）排列的字母表，直到鮑比用眨眼來選擇需要的字母，如此往復。

並創下連續十四週蟬聯暢銷書排行榜冠軍的長銷紀錄。不僅英國、美國的讀者，電影導演史蒂芬・史匹柏（Steven Spielberg）也被這本書深深吸引，書中充滿幻想世界，後來甚至還被拍成了電影。

雖然作者鮑比在出書後兩天，離開了人世，但成功證明了人類即便幾乎失去一切，也不會滅亡，不會被擊敗。

從絕望出發

我有個朋友每年到了八月，就會重溫一遍猶太裔奧地利心理學家弗蘭克（Viktor E. Frankl）的《活出意義來》（*Men's search for meaning*）。在朋友的刺激下，我也養成了每到八月就閱讀《活出意義來》的習慣。這本書的原文書名是源自於希特勒在一九四一年下達的特別命令。這道「凡是非德國國民，且有反抗黨與國家之嫌疑者一律全家拘捕」的可怕命令在夜裡被祕密執行，猶太人家族隨之如神隱般消失，因此一般也被稱為「夜霧命令」。一九五五年，法國大師級電影導演亞倫・雷奈（Alain Resnais）將奧斯威辛集中營的紀錄片標題命名為《夜與霧》（*Night and Fog*）也是廣為人知的事實。在維也納從事精神科醫師工作的弗蘭克，就因為擁有猶太人的身分而被納粹黨逮捕，並送進了集中營。

集中營也被稱為「死亡集中營」、「猶太人問題最終解決方案之集中營」，奧斯威辛集中營的最年輕生還者麥可・伯恩斯坦（Michael Bernstein）在《四歲的我從奧斯威辛集中營生還》（*Survivors Club: The True Story of a Very Young Prisoner of Auschwitz*）一書中，說出其悲壯經驗：「被貨車載到奧斯威辛集中營的數十萬名孩童當中，活著離開集中營的八歲以下孩童只有區區五十二人。」集中營是由人類親手打造的人間煉獄。

據說弗蘭克在戰爭結束後只花了九天的時間，便完成《活出意義來》的寫作。這本書在一九四七年出版，日本則是在一九五六年發行首版。即使過了將近半世紀，這本書在美國仍擠進「影響我人生最多的一本書」的排行榜前十名（一九九一年），是一本不論歷經多少歲月洗刷也不會褪色的傑作。不論反覆閱讀過多少遍，只要一翻開頁面，就會無法克制地一路讀到最後。明明是教人感到心酸煎熬的內容，不知為何閱讀後卻會覺得美極了。我在讀完這本書後，看待世界的方式變得不同。

在毫無理由之下，忽然被送往煉獄的囚犯們儘管面臨相同的處境，為什麼有些人會死、有些人卻能夠生存下來？對於這點，弗蘭克這麼分析了原因：

人類在集中營時，不僅外在，其內在生活的一切原始性皆會沉淪。儘管如此，還是不得不說罕見的少數人具有明顯的內化傾向。(中略)為什麼呢？因為對他們而言，眼前出現了一條路，可以讓他們從可怕的周遭世界，逃往精神自由、豐富的內在世界。就這樣，也因為這樣，所以得以理解纖細敏感的人，往往比身強體壯的人更能夠忍受集中營生活之弔詭現象。

弗蘭克以一名精神科醫師的身分，說出身處極限狀態者的生死，出乎預料地不在於是否擁有強壯的肉體，而是取決於能否對未來懷抱希望。有人明明受到連畜牲都不如的對待，陷入極度飢餓之中，卻把自己的麵包分給其他更加飢餓的人。有人在能不能活到明天都不確定的狀況下，仍不忘保有幽默感。還有人在未來被塗上一層黑漆的嚴酷狀況下，仍為夕陽之美而感動。我不禁心想如果換成是我，絕對做不來。

因為在集中營被迫體認到一個人一個人的生命有多麼地毫無價值可言，弗蘭克反覆強調著人們輕而易舉就能走向絕望。他不斷地鼓舞讀者，告訴讀者就算萬一不幸遭到絕望或困難在前方阻擋，也一定有辦法克服。弗蘭克說過我們的人生不該是指望人生給我們什麼，而是應該為人生找到答案。**不需要去追求幸福的人生，只要我們活得幸福，人生就會變得幸福**。這句話聽來理所當然，但對我的人生而言，卻是一百八十度的觀念大轉變。

書可以改變人生觀

雖然在讀了弗蘭克的書後，顛覆了我的人生觀，但畢竟是屬於自己的人生，所以我一直深信這個人生的主人翁一定是我自己。直到接觸了原始佛教的「無我觀」，才察覺到似乎不是這麼回事。

在下北澤的劇場看了場戲後，回家路上我繞到日本連鎖雜貨書店Village Vanguard，拿起一本被堆得如山高的書。那是蘇曼那沙拉（Alubomulle Sumanasara）寫的《佛陀教你不生氣》。除了日本知名漫畫家望月壽城設計的書腰讓人印象深刻，翻讀後，我還學習到憤怒發生於自我與他人的重疊領域。

以前只要我脫掉大衣後亂放，就會被家人叮嚀，我雖然沒有說出口，但心裡其實有些不高興。為什麼會不高興呢？我試著思考原因後，發現是因為自己在潛意識裡認為家人應該幫我收拾我脫掉的大衣。為什麼我必須去做家人應該做的事？當我試著把自己的煩躁原因化為話語後，才知道原因是出在我認定自己是被迫去做他人的工作。

當這個生氣的「我」不存在了，我還會感到煩躁嗎？原始佛教的「無我觀」讓我學會思考這個大問題。如果以理論性來思考，答案會是「No」，但我明明存在著，卻說我不存在？老實說，我真的不太明白意思。

何謂「無我」？站在佛教書籍的書架前讀著讀著，我開始覺得為了理解無我，我們有必要重新審視一遍自身的預設值。

我們都理所當然地認為「我存在著」。針對這點，法國哲學家笛卡兒（René Descartes）在《方法論》（*Discours de la méthode*）中這麼說：

> 「我思故我在」（Je pense, donc je suis）是屹立不搖的可靠真理，就算懷疑論者提出任何不合乎常理的假設也無法予以動搖。我認同這個事實，並且可以放心地接受將此真理視為我追求的哲學第一原理。

重讀一遍這本書後，我很訝異書中對於「我思故我在」，並沒有採用拉丁語「*Cogito, ergo sum*」的用詞，但後來又想到是佛陀告訴我們，這個第一原理本是錯誤。《佛陀的法句經、自說經》一書中這麼寫到：

以智慧看待「一切法皆非我」（諸法非我）時，人們將可遠離痛苦。這正是可使人們走向清高之路。

佛教僧侶羅睺羅·化普樂將佛教介紹給了西方世界，其著作《佛陀的啟示》（*What the Budda Taught*）中，針對「無我」做了這樣的描述：

依佛陀的教誨，自我的概念是一種不具實體、想像上的錯誤觀念。這樣的觀念會帶來「我」、「我的東西」、利己主義的欲望、渴望、執著、憎恨、惡意、自戀、傲慢、利我主義、邪惡、猥褻等種種問題。從個人的紛爭到國家之間的戰爭，這是造成世界上所有問題的根源所在。追根究柢，世界的萬惡根源就在於這個錯誤的觀念。

針對這點，日本道元禪師以「正法眼藏」做了這樣的表達：

萬法皆無我時，即無惑無悟、無諸佛無眾生、無生無滅。

為了把道元禪師的這句話傳達給現代的人們，僧侶村田和樹將《正法眼藏．現成公案》翻譯成現代文《我要活下去》，並在書中這麼提到：

在世上一切事象被賦予名稱之前、在以「我」來稱呼「我」之前，早已存在的事物稱為「無我」。

世上萬象本是無我，既沒有迷惑也沒有開悟，諸佛也好，眾生也好，在這裡都不會有所謂的生或死。所有一切超越了言語、概念、想像，早已存在著。

《正法眼藏》的「正法」是指佛陀開示的正確教誨，也就是指「佛教」。眼藏的「藏」是指收藏佛教智慧的倉房，「眼」則是意味著能以清晰眼光正確理解佛陀教誨的智慧。以如何正確看待我們所生存的世界為例子來說，道元禪師告訴我們：「柴可化為火，但不應反為柴。故，不得視先有柴，而後有灰。」

看見灰燼時，通常我們都會認為那是樹木變成木柴後，被燃燒成灰燼，但道元禪師告訴我們如果眼前出現灰燼，那只會是灰燼。看待世界時，不應該去看事物的因果關係，而必須去看真實的樣貌。然而，名為「我」的存在，讓人們變得無法真實地接受真實的世界。

日本哲學家上田閑照在《何謂我？》一書中，更深入探討了無我的境界。上田閑照以宮澤賢治的詩為出發站，途中經過笛卡兒，再把「無」放在本體論的根本之上，最後探討出「我沒有恆常不變的我」的境界。擺脫名為「我」的框架來看待世界後，我開始覺得日常生活中那些瑣碎的煩躁或忌妒變得渺小，日子過起來也變得輕鬆一些。

閱讀樂園

眼前有一本美好的書。

我也知道閱讀後一定會被感動。

然而，儘管知道自己的直覺是對的，卻還是沒能拿起書來閱讀。這樣的書每天都會增加好幾本。這些哪怕犧牲睡眠時間也想閱讀的書，不停地從我的身邊溜走，我卻無力阻止。

每次沒能閱讀自己想閱讀的書時，沙林傑（Jerome David Salinger）的著作《麥田捕手》（*The*

Catcher in the Rye）總能撫慰我的心。

無論如何，我總是會想像，有那麼一群小孩子在一大片麥田裡玩遊戲。成千上萬的小孩，附近沒有一個人——沒有一個大人，我是說——除了我。我呢，就站在那混帳懸崖邊。我的職務是在那裡守備，要是有哪個孩子往懸崖邊跑來，我就把他捉住——我是說孩子們都在狂奔，也不知道自己是在往哪裡跑，我得從任何地方出來，把他們捉住。我從早到晚就做這件事。我只想當個麥田裡的守望者。我知道這有點異想天開，但我真正想做的就是這個。我知道這不像話。

若是某地方有個讀書田的捕手，可以一本接著一本幫我把感興趣的書本接住，不知道該有多好。到時只要請捕手告訴我漏讀了什麼書，就能夠隨時邂逅自己想要閱讀的書。

日本作家椎名誠的短篇小說《蚊子》，有一篇描述以讀書為工作、獨具特色的科幻小說，其標題為〈日本讀書公社〉。故事中的主人翁們被分派到俗稱「包買書店」的「創作部一般隨筆課風俗雜書科」，每天的工作就是埋首閱讀「壓縮空氣發書機」傳送過來的書籍，一天必須閱讀上好幾本。前近代作風的日本讀書公社試圖控制讀書，讓讀書變成不伴隨感動的行為。該公社在這般體制下明確劃出界線，試圖把讀書塞進框架裡，卻怎麼也阻擋不了大家對讀書的愛從框架裡滿溢出來。「我們的工作是在隨時繃緊布滿全身的每一條神經之下，接受纖細敏感的挑戰。」這句話說出了對於讀書的自豪。更令人感動的情節是，上午時間大家明明都是基於工作而聚精會神地讀著書，到了午休時，卻會看見各自一副開心模樣把自己喜歡的書，攤開在自己桌上的畫面。我心想那空間宛如一座閱讀樂園。如果有機會只能拿到一支可以進入小說世界的鑰匙，我一定會毫不猶豫地打開通往這本書的門。

不過，仔細一想，才發現我早就知道可以在哪裡邂逅想要閱讀的書。去書店、去圖書館就行了。只要去到書店或圖書館，每天都會有人把新問世、即將消失的書本整理好，等著迎接你的到來。在那裡有的依照號碼順序排列，有的依照書籍內容分類，有的依照作者姓名分類，有的依照作者們的關聯性或時代區分做好整理。很奇妙地，**即便是同一本書，也會因為陳列方式的不同，而讓人看見那本書的不同一面**。更重要的是，書店每天都會更新排列在書架上的書，永遠都會有不同的書出現。書架是觸摸得到的無限。在這之中，每天都會有一本只屬於某位到訪者的書雀屏中選，這已經超越「偶然」，近乎奇蹟了。

第2章

生活不易的處方箋

大學四年級那一年的冬天，我之前應徵的出版社通知我「原本錄用的人主動辭退」，我就這樣在最後一刻安全上壘，順利找到工作。好不容易進入出版社，卻沒料到我被分派到的「室內」編輯部在第二年宣告解散。好啦，這下子該怎麼辦才好？我完全不知所措。除了會打掃和打招呼，我沒有什麼特別突出的表現，像我這種人當然不可能一下子就順利找到新工作。說來丟臉，後來我因為付不出房租，只好到處借住朋友家。

「慢慢找工作就好了啊。」

雖然朋友都異口同聲地鼓勵我，但我內心焦急，一心只想著必須盡快找到工作。我沒有錢，也沒有工作。不過，時間倒是很多。做什麼好呢？我拎著超市的購物袋在街上閒晃時，圖書館映入了眼簾。

對啊，可以讀書。因為沒有固定住址，所以辦不了圖書館的借閱證，但至少可以坐在館內的椅子上閱讀。在圖書館的書架間走動時，看見書架上排列著很多我沒有讀過的書。如果是小說，一下子就會讀完，所以我決定閱讀哲學書，這樣才能盡可能長時間持續閱讀。地下室的書架有全集區，那裡一片安靜，四周幾乎不見人影。每天從就業服務處回來，我就會去圖書館，一本一本地邊寫筆記邊閱讀，直到圖書館關門。照著圖書館的排列順序一路讀著讀著，我遇到了羅馬尼亞旅法哲學家蕭沆（Emil Cioran）。

蕭沆是來自羅馬尼亞的作家，也是廣為人知的虛無主義思想家。二戰後，蕭沆沒有回到受蘇聯統治的母國，選擇在巴黎度過終生，並以外語，也就是法語持續寫作。蕭沆說過，有別於可以自在書寫的羅馬尼亞語，法語像是一種綁具。蕭沆對言語的自我意識比任何人都來得高，他在《供詞與詛咒》（*Aveux et anathèmes*）中這麼寫著：

> 我們居住的地方不是某國家，而是某國語。所謂的祖國，指的是國語，其他什麼都不是。

只有失去故國的蕭沆，才寫得出來如此強烈的話語。蕭沆的思想有個最大的特徵，也就是悲觀。不過，他那透澈的悲觀有著莫名的豁達，以及如詩般的格言都能讓人上癮。激烈的書籍內容就不用說了，蕭沆自身的一生也相當獨樹一格，完全不輸給他的作品。研究蕭沆的日本學者大谷崇，在他的著作《獻給人生過得痛苦的你》中，除了介紹蕭沆的作品，也介紹了蕭沆的一生。舉例來說，第一本被翻譯成日文版而成為代表作的《歷史與烏托邦》（*History and Utopia*）中，即描述到蕭沆失去住處時，獻身給從事不動產工作的女性，最後以令人難以置信的便宜價格租下公寓等行事作風，可以讓人對蕭沆產生無止境的興趣。蕭沆一生為失眠所苦，他在《誕生的災難》（*De l'inconvenient d'être né*）中寫出對夜晚的片斷感想，令我至今難忘。

安穩入睡的夜晚，就彷彿不曾存在過的夜晚。唯有我們沒有闔上眼睛的夜晚，才會深深烙印在記憶裡。所謂的夜晚，是指未入睡的夜晚。

當時的我沒有工作，也流離失所，對未來感到一片迷惘，夜夜無法入眠。我躺在關上電燈的房間裡，一直望著天花板，甚至不確定自己是張著眼睛，還是閉著眼睛。不安的情緒使得我無法入眠。不過，邂逅了蕭沆的文字後，我才察覺到原來夜晚就是這麼回事。

無處可去也無處可居的我，為了找工作而在東京街上奔波時，原本認為理所當然的日常景色變得折磨人。學校畢業後進公司上班，沒有轉換跑道便一路照公司安排工作到退休；在這般理想規劃的人生軌道上，我的第一步就脫了軌。一方面因為碰上就業困難的時期，使得我難以回到原本的人生軌道上。我每天前往就業服務處報到，看徵才啟事寄出履歷表，就這樣持續推銷自己，最後幸運找到了工作。不過，我之所以能夠熬過無法入眠的夜晚，無疑是因為閱讀了蕭沆的《誕生的災難》。

生活不易加上不自在感的重重難題

我經常會在下班後光顧一家立食居酒屋。這家居酒屋只要花三百日元就能吃到一盤沒加料的咖哩，所以我經常拿「酒精消毒」當藉口，在回家路上光顧這家店。店裡很多客人好相處又健談，甚至還有常客彼此意氣相投而結婚。有時候大家會在店裡做心理測驗，一方面因為當時我是最年輕的一個，所以經常被拱去做心理測驗。

「你的眼前放了一個杯子。你覺得杯子裡有多少水？」

我回答差不多有我喝掉一半的啤酒杯那麼多的水之後，被告知那代表著自我肯定感的程度，不禁感到訝異。雖不確定真偽，但出題者告訴我杯子裡的水量代表自戀程度、自我肯定感。我聽著解說，不禁有些佩服。這個心理測驗正好指出了我一直感到納悶的現象。

在那當時，東京鬧區的書店暢銷書正好是水島廣子的作品《自我肯定的奇蹟》。這類以「自我肯定感」為主題的書籍熱潮不止，像是《高敏感卻不受傷的七日練習》、《活出自我肯定感》等，商業書籍的自我啟發類的書架上，也一下子就排滿類似的書籍。

自我肯定並非單純的正面字眼。根據《日本國語大辭典第二版》的解釋，自我肯定的意思是指「經過反覆的自我批評、自我否定後，自身認同自己的存在方式」。很明顯，這個字眼的出現，背後有著「做不到這點」的前提。**想到自己所生存的時代，是一個必須有自我肯定感的時代，就讓人感到鬱悶，但只要望向書店的平台或書架，還是不得不說已經直接反映出現今是一個什麼樣的時代**。

這般事態別說是走向平息，甚至還有持續擴大的跡象。丹麥心理學家伊麗絲．桑德（Ilse Sand）的《高敏感是種天賦》（*Highly Sensitive People in an Insensitive World*），還有二〇二〇年四月在日本電視台的教育節目「全世界最想上的課」一炮而紅的《高敏人的職場放鬆課》，以及一些與「正念」相關的書籍熱潮至今仍未退燒。無庸置疑，書店裡經常被人拿起的書籍，告訴了我們現代的「生活不易」，或許也可以改口說是「不自在感」。

我做了調查，結果發現一個意外的事實。哲學書的書架上，也出現相似跡象。時間點落在二〇一九年十一月號刊的《現代思想》做出「思考反生育主義」之專題報導的前後。此專題報導前的二〇一七年，南非哲學家大衛．貝納塔（David Benatar）的《還不如不來：出世的禍害》（*Better never to have been*）出了日文版，在哲學界激起陣陣漣漪。貝納塔在這本書裡下了斷言：

> 任何人生都包含了壞事。以這樣的人生存在著，就是一種禍害。

世界各國的哲學家紛紛提出反駁論點，但貝納塔了不起的地方是，他以理論擊敗了反駁論點。在「某人存在」與「不存在」的狀況下，分別會帶來「痛苦」與「快樂」；貝納塔從這個不對稱性，導出人們出生到這世上是一種禍害的論點，更進一步從這點延伸到人類生育是不道德行為的結論。

辻潤、金子光晴、武田泰淳和深澤七郎等日本作家也是一路反覆寫著絕望、滅亡的題材。原始佛教的思想當初也影響了尼采、叔本華和蕭沆，若回溯到原始佛教的思想，就會知道認同不出世的想法本身不算是新思想。即便如此，我還是無法對貝納塔的思想產生任何共鳴。我難以認同「既然來到世上就會變得不幸，就表示生小孩的行為是一種禍害，而人類應該滅絕」的思想。燕子不會因為產下的卵會被烏鴉吃掉，就不產卵。生物會為了祝福誕生到這世上的新生命，而奉獻其一生。我們人類也一樣。因為這樣，新生命、文化、社會才能一路延續到現在。

頂尖大學的高才生如何看時代的「臉色」

我讀了《平成論：回顧「生活不易」的三十年》後，發現書中介紹了日本宗教學家上田紀行，每年都會在東京工業大學的課堂上實施一項問卷調查。請大家也跟著我一起來思考看看！

從東工大畢業後，你進到大企業服務，現在被外派到東南亞的工廠上班。然而，這座工廠長期將有毒物質排放到河中，導致下游地區的老人和孩童因此喪命。發現這個事實後，你去找廠長報告，並建議停止工廠的排水。廠長聽了後，便回答：「等一下，那不是我們該負責的問題吧？我們只是被派到這裡工作三年就要離開。生產系統當初是總公司的人設計的，所以這是歸總公司管的案子，必須由董事長來決定。我們要是提了意見，只會給自己難堪而已。我們身在現場的人要裝作不知道，乖乖閉上嘴巴才是最佳處世之道。」你也找了公司內部的其他同事商量，但沒有一個人表示贊同。好了，現在你打算怎麼做？

答案有三個選項：①報上自己的姓名，向內部舉發；②在網路上匿名發言；③什麼都不做。

各位選了哪個答案呢？

根據上田在二〇〇六年針對兩百名學生所實施的問卷調查結果，有五名學生回答①、十五名學生回答②、一百八十名學生回答③。說到東京工業大學，不用說大家都知道是數一數二的大學。只有在升學考時擊敗眾多對手、學識能力高的學生，才考得進這所大學。這個調查結果讓人更憂心的一點是，學問、通才教育明明是為了使人們變得自由而存在，而一路這樣學習過來的學生當中，卻有九成的人回答「什麼都不做」。究竟是什麼無形枷鎖讓學習自由的學生變得不自由？

小川珠佳在《遭遇「幾乎不會發生的事」的那些人看見了什麼樣的社會？》一書中，針對我們所生存的社會為何如此工作不易、生活不易的問題，指出原因在於眼前存在著足以讓世界大變的風險。

若是指責不公平，就會被貼上「難搞傢伙」的標籤。屢次遭受不公平對待，好不容易擠出聲音抗議，卻被批評說：「像你這種說話態度，誰也不會站在你這邊！」一路來，這樣的狀況不知道反覆發生了多少遍？

被排擠在外的人看見了世界的冷漠。多數人因為不想看見那樣的世界，所以如履薄冰般的謹慎小心，就怕自己成了「被排擠在外的人」。

學生們如履薄冰般的謹慎小心，上田嚴肅面對他們不敢說出口的想法，並著手調查學生們選擇答案③的背景。上田得到的結論是，「當社會少了『支撐』，人們就會漸漸失去言論的『自由』。人們會把自己裹得緊緊的，變得只知道為自己保身。「支撐」與「自由」其實就像硬幣的正反面」。上田更深入探討並做出總結，指出人們是在名為「平成」*的時代，失去了「支撐」與「自由」。

究竟平成是個什麼樣的時代？我試著從《現代用語的基礎知識二〇一九年版》的專題報導「從用語觀平成」中挑出一些主題。

平成元年（一九八九年）導入消費稅制度

平成三年（一九九一年）波斯灣戰爭

平成四年（一九九二年）複合不景氣+

平成七年（一九九五年）安全神話**崩壞

平成十年（一九九八年）日本整體不景氣

平成十三年（二〇〇一年）九一一恐怖攻擊事件

平成十六年（二〇〇四年）自我責任

平成十八年（二〇〇六年）社會分化

平成十九年（二〇〇七年）消失的年金

平成二十年（二〇〇八年）雷曼兄弟金融海嘯

平成二十二年（二〇一〇年）無緣社會‡

平成二十三年（二〇一一年）三一一東日本大地震

平成二十六年（二〇一四年）集團自衛權

平成二十七年（二〇一五年）一億總活躍社會㊟

平成二十九年（二〇一七年）揣測

＊ 平成為日本天皇明仁在位期間所使用的年號，從一九八九年使用至二〇一九年。

† 複合不景氣是指經濟泡沫崩壞所延伸的不景氣現象，包含股票、房地產等多重因素，而非單純的景氣循環下之不景氣。

⁑ 安全神話被用來比喻日本為低犯罪的安全社會。

‡ 無緣社會為日本的新創詞，指在高度成長的過程中，許多維繫人際關係的傳統逐漸被打破，個人與個人之間失去社緣、血緣、地緣的連繫。

㊟ 一億總活躍社會為日本的新創詞，指不分男女老幼或挫敗者、障礙者，所有人都能在家庭、職場、地區等任何場合有活躍表現的全員參加型社會。

如果從每年的「流行語」來回顧平成走過的三十年，平成會是一個「崩壞」、「不景氣」、「自我責任」、「分化」、「無緣」和「揣測」的時代。

即便從經濟指標的角度來看，平成給人的印象依舊是每況愈下的「不景氣」，彷彿就快跌破了谷底。平成一八年（二〇〇六年）時，時任首相安倍晉三出了一本指出日本的未來去路、名為《邁向美麗之國》的書，但諷刺的是，那一年的流行語是「社會分化」。

「心病」與社會的變化

日本非小說類作家最相葉月在《治療師》中指出，我們所生存的時代與我們的「心病」息息相關。「只要活在這世上，我們永遠無法擺脫心靈的動盪起伏」。坦率面對折磨自身的精神疾病，赤裸裸地吐露自我，同時傾聽內心的聲音，那究竟會是什麼樣的狀況呢？我們來以心理學與精神醫學的巨星——河合隼雄與中井久夫的人生為主軸，細看兩人走過的時代變化。

日本的產業結構在高度經濟成長期，出現了巨大的改變。從事農林漁業，也就是從事一級產業者急遽減少。人口不斷從鄉下流向城市，城市裡身為銷售員、白領族的上班族群（三級產業）持續擴展。隨著工廠開始往海外遷移，製造業（二級產業）的規模逐漸縮小，我們的社會和工作型態出現了劇烈改變。屬於榮格派的心理學家河合隼雄指出，在這樣的背景下，心理症狀也出現了改變。

河合在《發展障礙的心理治療方式》一書中，提到針對京都大學心理教育諮詢室的委託人做過長期定點觀察，並從病例分析出心病會以十年為一週期改變。若根據河合的整理，以十年的週期來看京都大學心理教育諮詢室的委託人，首先會知道在經濟泡沫的形成過程，也就是一九七〇年代到八〇年代所流行的病例為「臨界例」。所謂的臨界例，是一種不僅針對他人，針對自我的評價也會劇烈起伏，情緒也容易變化的症狀。

進入一九九〇年代後，臨界例開始減少，取而代之出現了「解離性障礙」。解離性障礙的主要起因來自於心理創傷，是一種意識、記憶、體驗等等與自身原本所擁有的內容變得不一致的精神障礙。

到了二〇〇〇年代，「發展障礙」變得突出。說到發展障礙，這個稱法本是源自於美國精神醫學會的《精神疾病診斷與統計手冊》（*Diagnostic and Statistical Manual of Mental Disorders, DSM*）。

心病就像一面反射鏡，會隨著變化萬千的社會而改變。日本厚生勞動省*的「病患調查」中，「精神疾病病患的總人數」，即可證明此點。一九九九年的病患人數約有兩百零四萬人，但到了二〇一四年，已增加到約三百九十二萬人。當中患有包含發展障礙的「其他精神及行動障礙」的病患人數，從約八萬人增加到四倍的約三十四萬人。究竟是什麼原因造成必須接受精神醫療的人數持續增加？

日本精神科醫師熊代亨在《在健康清潔、遵守道德秩序的社會下之不自由》中，舉出造成發展障礙持續增加的背後原因，在於社會的變化。根據熊代的說法，在昭和時代+以前，幾乎所有現今被認定持有發展障礙的病患，都沒有被列為醫療或福祉的對象。熊代指出，當時的社會具備適合這群人從事的廣泛職業領域，所以必須診斷為發展障礙，並提供治療的社會需求極低。

然而，到了二十世紀末後，狀況劇烈改變。隨著人員流動性提高，幾乎所有職業領域皆被要求必須具備溝通能力，在三級產業壓倒性地勝過一級產業和二級產業，科技化發展的社會裡，ADHD（注意力不足過動症）和ASD（自閉症類群）的特徵得以化為長處而發揮的職業領域變得越來越狹窄。

熊代分析在這種狀況下，精神科醫師最先做出反應，學校相關人士、福祉相關人士也在不久後跟著有所行動。「經歷平成時代後，我們的社會變得越來越講求清潔、注重禮儀、效率和溝通能力。（中略）隨著這點，學生和社會人士必須越過的門檻變高，甚至在私生活的領域上，現代人也被期待具備高品質的表現。發展障礙之所以得以被世人接受，就是因為有些人跟不上這般社會變化以及人類高品質化的腳步，使得必須為這群人提供解決對策的需求提高。」熊代指出，發展障礙因此而逐漸表面化，此論點與河合的說法一致。

另一方面，一路支撐社會的企業終身僱用制度、功序列工資制等日本特有僱用型態，慢慢走向瓦解。部分企業因為無法創造新的附加價值，而採取最簡單的解決對策，也就是拉長員工的工作時間，這般惡劣的勞動條件和職場環境構成了社會問題。以全世界來說，日本企業的加班時間多過各國，「過勞死」的日語發音「karoshi」甚至直接成了英文單字。

透過日本漫畫家汐街可奈的作品《雖然痛苦到想死，卻無法辭職的理由》，我們明白了現

＊ 厚生勞動省為日本行政機關之一，相當於台灣的衛生福利部＋勞動部。
＋ 昭和為日本天皇昭和在位期間所使用的年號，從一九二六年使用至一九八九年。

實能夠在與本人的意識無關之下，讓人走向自殺的事實。「學長姐和其他同事都比我更拚，如果我不努力也會給公司的人添麻煩，沒關係，我還可以再撐一下！」如果就這樣在原地止步不前，視野就會逐漸變得狹窄，做事越認真的人越容易被擊垮，最後不幸走向死亡。這是多麼令人悲痛的現實。

不能離開半步的宮殿

各種企業儘管高喊多元性、多樣化、SDGs，在大批學生前來應徵的場合上，卻反過來追求整齊劃一的人才。從日本經濟團體聯合會所發表的「畢業生僱用之相關問卷調查」（二〇一八年度）的結果看來，最受企業期待且願意列入選拔名單的對象，連續十六年都是「具備溝通能力者」奪得冠軍寶座，其次是擁有「主體性」、富有「挑戰精神」，並且是「願意與他人合作」且「誠實」的學生。企業的「真心話」與「體面話」之間存在一條看不見的無形界線，學生若沒能看見這條界線，就會在選拔過程中一一遭到淘汰。我們理應生活在一個尊重個性與自由的社會，但現實卻非如此。東京工業大學的學生們的問卷結果或許讓我們學習到了一個處世之道，但社會在失去支撐後，接下來將會失去自由。

俄國作家杜斯妥也夫斯基（Fyodor Dostoyevsky）從一八五〇年到一八五四年，在西伯利亞的歐姆斯克要塞監獄度過了囚犯生活。杜斯妥也夫斯基根據當時的體驗所寫下的作品《死屋手記》（*The House of the Dead*），留有未能收錄於最終稿的片斷內容：

各位可以試著蓋一座宮殿看看。這座宮殿有大理石、圖畫、黃金工藝品的點綴，色彩繽紛的花園裡可以看見極樂鳥自在飛翔，宮殿裡處處用盡巧思增添一切可增添的風趣……接下來，試著走進這座宮殿看看。進到宮殿後，想必哪兒也不想去了吧。或許各位真的就不會再走出宮殿也說不定。畢竟宮殿裡應有盡有！人家都說「幸福的人不會有所奢望」，不是嗎？然而，狀況忽然出現了一點變化。各位的宮殿四周被高牆圍起，有人大聲地告訴各位：

「這裡的一切都屬於你！你可以盡情地享受樂趣！不過，你不能離開宮殿半步！」

這麼一來，我敢保證當各位被這麼宣告後，就會不惜捨棄自己的極樂生活，也想要越過圍牆走出宮殿外。（中略）

沒錯，宮殿裡只少了一樣東西。宮殿裡少了自由！少了可以隨心所欲的自由生活。

人類會為了生存而吃麵包，但光吃麵包並無法生存下去。杜斯妥也夫斯基要我們思考對人類而言，什麼才是任何東西也無法取代、最珍貴的存在？

上田紀行分析了平成這個社會漸漸失去「支撐」的過程。當社會失去「支撐」，就會也漸漸失去言論的「自由」。信賴只會從「贈與」之中產生；日本思想家近內悠太在《有贈與，才有世界》中，一語道破了這個事實。近內提出為何難以與「工作上的朋友」建立出好友關係的疑問，並給了「因為彼此把對方看待成手段」的答案。

「我可以幫你。所以，你要給我什麼？」

這是信奉「給予」（Give & Take）而生存的教條，當彼此不再有東西可交換時，交換理論就會要求解除雙方的關係。然而，當我們不再有東西可交換時，不正是更需要與他人保有關係的時候嗎？作者提出了這般質疑。人人有能力獨力生存的成熟社會聽起來似乎十分美好，但作者認為如果反過來形容這狀況，不就是指「所謂不給任何人添麻煩的社會，在定義上，就是一個自己的存在不被任何人需要的社會」嗎？作者表示「資本主義並非經濟系統，而是一種人性觀點」，並強調我們就是因為太習慣，也太熟悉於交換理論，才變得無法「祈求」贈與。重要的是，不要以CP值高低來看待助人或善意、不要把微薄之力視為無力，而是保有想像力，不厭其煩地告訴自己「我一定能將祈求傳達給看不見的對象」。

名為想像力的傘

日本作家美佳子・布雷迪（Mikako Brady）在《我是黃，也是白，還帶著一點藍》一書中描述，與在英國就讀國中的兒子的生活點滴。從氣氛和平的小學畢業後，兒子憑自己的雙眼和雙腳做出判斷，選擇就讀英國的「前底層中學」。書中描繪出這位父親是愛爾蘭人、母親是日本人的少年，在日本被說是「老外」，在英國則被說是「懦夫」，不論在日本或英國，都找不到屬於自己的地方。某天，母親在兒子的國文筆記本右上角發現塗鴉，兒子用藍筆寫上了「我是黃，也是白，還帶著一點藍」。母親感到內心不安，擔心著兒子是不是遇到什麼讓他想要這麼寫的經驗。

本書最精采的部分是期末考出了一個考題「何謂同理心？」聽到考試內容後，父親驚訝地詢問兒子：

「不會吧！如果突然被問：『何謂同理心？』要是我，根本就回答不出來。這題目問得很深，你不覺得很難嗎？結果呢？你寫了什麼答案？」

「我寫同理心就是試著穿穿看別人的鞋子。」

美佳子．布雷迪在書中說明「試著穿穿看別人的鞋子」是一句英文諺語，意思是指試著站在他人的立場去思考。美佳子．布雷迪簡單扼要地提到因為同理心的英文「empathy」和同情的英文「sympathy」很容易混淆，所以會被視為重點單字來教孩童或正在學習英文的外國人。我從書中學習到簡單來說，同情是一種「情感、行為、理解」，而同理心則是「理解他人情感或經驗的能力」。值得一提的是，因為同理心是一種「能力」，所以任何人都能夠學習，且培養出這項能力。

「我要穿別人的鞋子。」作者的這句話讓我聯想到日本漫畫家榛野奈奈惠的少女漫畫《爸爸告訴我》（*Papa told me*）。這部作品平淡地描述著喪妻的作家爸爸的場信吉，與女兒的場知世之父女家庭的生活點滴。雖然作者沒有在故事裡拿著大聲公揚聲強調，但以各種形式描繪出缺乏想像力會在無意間，使得人們變得生活不易、變得不自在。舉例來說，《爸爸告訴我～在咖啡廳摸魚～》中有個標題為「派對時間」的章節，章節裡知世與父親兩人著手烹煮燉湯時，電視節目裡播放的廣告吸引了她的目光。

「媽媽引以為傲的鬆餅。」
「媽媽洗過的毛巾總是像棉花糖一樣軟綿綿的。」
「新產品！媽媽味道的暖呼呼燉湯。」

聽到電視裡反覆說著「媽媽」，知世自言自語地說：「我們被排擠在外呢。」為什麼電視裡說的幸福家庭的象徵是媽媽呢？知世向父親丟出了這個直白的疑問。父女倆一邊在公園裡散步，一邊談論著母親話題時，恰巧遇到認識的作家，作家脫口說出這般感想：

沒有惡意、缺乏想像力的人其實最可怕。我總會這麼想，這世界不停下著冰冷的雨，而我們無力阻止……不過，只要有名為想像力的傘——如果是一把小傘，就只能為自己遮雨，但如果是一把可以撐得大大的傘，或許就會有很多人不會被雨淋溼。

仔細一想，日本公共廣播電視機構NHK有個長壽節目叫《與媽媽同樂》，沒有母親的孩子們看到這個節目名稱時，不知道會是什麼樣的心情？由祖父母養育的孩子們會是什麼樣的心情？正因為《與媽媽同樂》是一個每天播放、許多孩童都會看到的高品質節目，所以更加引人深思。

日本社會學家岸政彥在《片斷人間》一書中，描述到「幸福印象」時而會是「對得不到幸福者的一種暴力」。舉例來說，「小孩」是「最簡單易懂、強烈鮮明的幸福象徵」，人們往往容易認為只要結了婚，「理所當然要生小孩」，但另一方面，也有人無法生小孩或不生小孩。多數人不會去設想到寄出印有小孩照片的賀年卡時，依對象不同，有時可能會使對方感到受傷。預設的「幸福印象」宛如我們出生時就被植入晶片一般強烈鮮明，讓我們難以擺脫印象而變得自由。那麼，該如何思考才能夠避免不小心傷害到他人，與他人共度日子呢？

重點就是，拋開所有區分好壞的規範。因為只要有規範的存在，勢必有人會因此被排除在外。

然而，在那同時，我們小小片斷人生的渺小幸福，就是來自於這些規範，也可以說是來自於「好事」。我們要拋開一切可以帶來小小幸福的好事，可說再困難不過了。

——《片斷人間》

當想像力變得薄弱，產生共鳴的能力也會變得薄弱。儘管美佳子．布雷迪告訴我們同理心是一種能力，但如果我們一直持續隔著名為「理所當然」的濾鏡來看世界，將無法撐開想像力的大傘。那我們又如何懂得要怎麼穿別人的鞋子呢？

詩可以拯救人？

奈良少年監獄收容了將近七百名十七歲以上、未滿十六歲的受刑人，這所監獄展開了值得矚目的行動，此行動名為「社會性涵養計畫」。

社會性涵養計畫是一個以幫助受刑人更生為目的的實驗性教育計畫，由「社會技能訓練」（Social Skill Training, SST）、「繪畫」、「童話與詩」三個不同主題構成。每個月，每個主題分別會上一個半小時的課，每月共三堂課為期六個月，總共實施十八堂課。當時，日本作家寮美千子擔任「童話與詩」的講師，在其著作《都是溫柔的孩子》中，可閱讀到此計畫的部分紀錄。

SST是教導打招呼方式，或如何拒絕人卻不失禮等溝通技巧的一門課，繪畫課程則是實際請來專業美術老師授課。至於由寮美千子擔任講師的「童話與詩」，會讓受刑人實際閱讀童話和詩，再自己親手寫「詩」，並發表出來。

寮美千子負責編輯的《因為天空很藍，所以我選了白色》，收錄了受刑人們所寫的詩。對於受刑人們所寫的詩，寮美千子斬釘截鐵地說：「哪怕不像世人口中所說的『詩』，但那些確實是一首首的詩。」

本書是從一首名為「白雲」的詩中，取了「因為天空很藍，所以我選了白色」這行字來作為標題。這行字不僅說出對浮在天上的「白雲」的意念，也能夠感受到從這行字的另一端延伸出去的遼闊藍天。還有一首某少年描述與母親重逢、名為「空白」的詩，詩中清楚刻劃出少年內心的糾結與後悔。

離婚，父母擅自決定的人生
丟下我們離家的時候
母親是怎樣的心情？

寂寞？悲傷？
還是卸下肩上的重擔，變得輕鬆？

母親離家三個月後
父親出車禍死了
兄弟三人與祖母相依為命

便當，自己做
所以，打開時毫無驚喜
「老媽又幫我放了小黃瓜！」
這種話，我也想說一遍看看

即使大半夜才回家
即使帶朋友回家，也沒人會生氣
我樂得輕鬆，但其實很痛苦（後略）

每一首詩都是受刑人們以自己的話語，寫出各自的人生，首首觸動人心。不僅如此，這些詩的作者還是在監獄裡不擅長與大家一起行動的部份受刑人。得知這個事實後，讓人更是驚訝。十名左右的受刑人極度內向，或因為過去受到虐待而不易打開心房。他們閱讀、朗讀繪本，也讀詩、寫詩。他們在課堂上發表自己寫的詩，獲得掌聲。明明沒有做什麼特別的事，卻能夠像施了魔法一樣，讓這群人慢慢敞開心房。隔著頁面，彷彿聽見了他們的心房發出「碰」的一聲打開來。

不過，寮美千子也提到當初要接下講師工作時，內心十分猶豫。聽到受刑人時，寮美千子的腦海裡立刻浮現「凶狠」、「粗暴」、「可怕」的印象。當然了，他們所犯下的罪過，並非想彌補就能完全彌補。受害者的遺憾和心傷，也絕對不能被輕易遺忘。不過，人是會改變的生物。寮美千子殷切地強調著這個事實：

○受刑人原本一副大爺模樣身體往後仰，張大雙腿坐著，但在俳句＊受到誇獎後，連坐姿也改變了。○受刑人開始會往前探出身子，對上課內容展現出興趣。

有自殘傾向、情緒不穩的K受刑人在筆記本上寫出妄想、幻想後，開始能夠客觀看待自己的內心想法。這麼一來，K受刑人的內心也就變得平靜，甚至散發出來的氛圍也變得不一樣。現在，K受刑人成長到可以為同伴們提供人生諮詢，並且給予建議。

不過是在短短六個月內上了十八堂課，一個人竟然能夠有如此大的改變，我驚訝得甚至懷疑起自己是不是眼花了。

——《因為天空很藍，所以我選了白色》

究竟是什麼改變了他們？是打招呼、詩、有同伴存在的空間改變了他們。如果能夠在更早之前接受這些教育，或許他們就不會犯罪了；寮美千子看見了他們的潛力，不由得想像起他們的另一個人生。

每個人的人生都會遇到多種可能性，而人生會依在那時刻所做出的選擇而改變。不過，這本書讓我們明白了即使人生過著艱辛嚴酷，只要能夠改變那個人的人生一丁點兒，就能帶來截然不同的未來樣貌。

＊俳句是由十七音組成的日本定型短詩。

安全護欄的背後

我們都需要支撐力量，若少了支撐力量，將無法身為一個人生存下去。日本精神科醫師宮地尚子在《你能愛你的傷嗎？》中寫到：

很多人都知道受到心理創傷的受害人在復原後，欲找回自立生活之際，「賦權」非常重要。所謂「賦權」，就是讓那個人回想起自己原本擁有的能力，使能力甦醒過來，進而予以發揮，而不是由其他人從外界賦予能力。不過，為了讓受害人回想起遺忘的能力，並願意試著再相信自己一次，就不能少了與周遭人們之間的連繫。

對奈良少年監獄的受刑人來說，這個連繫就是詩、老師和同伴的支撐力量。對於這樣的「支撐力量」，宮地認為不一定非得是屹立不搖的支撐力量。

我時而會想，救生帶或安全護欄的真正用途，恐怕不在於拉住（擋住）實際摔落的人。當然了，我相信當初在製作時，也會考量到必須能夠發揮這般功能，而計算強度、決定材質和形狀。不過，救生帶或安全護欄很少有機會發揮實質的物理作用。人們會因為設有救生帶或安全護欄的事實而感到安心，進而得以保持平常心。這麼一來，就能夠發揮原有的能力，順利完成目標。

「幸福」這個字眼時而能夠發揮上述的救生帶作用。關於這點，宮地這麼做了描述：

認定自己「不可能得到幸福」的人、認定自己「沒資格得到幸福」的人，需要有一句話可以讓他們擺脫過去受詛咒的束縛。想要讓一個感到害怕畏縮的人打直膝蓋、重新踏出步伐，必須為他們送上捕捉未來的話語。

哪怕實際的救生帶或安全護欄相當不可靠也無妨，人們只有在感受到某事物或某人正在設法保護其安全時，才能身為一個人生存下去。

前面提到的東京工業大學的學生問卷調查，讓我們明白了一點，一旦失去了支撐，即便是具備學識的學生，在強而有力的規範面前也不得不保持沉默。萬一失去了「支撐」與「自由」，甚至也看不到「安全護欄」或「救命帶」的存在，變得無法身為一個人生存下去時，究竟會發生什麼狀況？日本政治學家中島岳志正視這般現實，並親赴實地採訪，撰寫了報導大作《秋葉原事件：加藤智大的心路歷程》。

二〇〇八年六月八日，發生了一起造成七死十傷、被形容是「日本犯罪史上史無前例之凶狠犯罪」的事件。根據報導，手機的「留言板」是加害者唯一能夠吐露心聲的世界，卻被「假冒身分者」搞得一團亂，再加上加害者去上班時發現自己的工作服失蹤，點燃了事件的導火線。

中島岳志以客觀的角度注視整起事件，思考加害者為何非得要引發事件？當初如何被逼到絕路？中島岳志著手調查加害者走過的人生，一一進行確認。確認結果，中島查出加害者當初會引發這起事件，並不是因為如報導所說的兩個簡單易懂的關鍵原因。中島提出指正，他表示反而應該說是因為受母親虐待、外表及學歷帶來的自卑感、家庭破碎、背叛前輩和朋友、罷工、欠債、工作不穩定、派遣工作遭解僱、遭忽略、孤獨等鬱悶情緒如岩漿般在加害者的內心不停翻滾囤積，最後才會在「假冒身分者」和「工作服失蹤事件」的刺激下噴發出來。

加藤反覆在留言板寫下「每次都是我不好」的留言。中島認同這是事實，但也深入探討了問題：「對於像加藤這種背景的青年，社會如施加鞭刑般給予『自我責任』的強壓，這是個什麼樣的社會？另外，存在許多年輕人對加藤有所共鳴的社會又是個什麼樣的社會？」

案發兩天前，加藤在留言板沒頭沒腦地寫下「每天過著像傀儡的生活」的留言。「對方打電話來說因為人手不夠，叫我回去工作。打電話來不是因為需要我，而是因為人手不夠。白癡才會回去工作！那麼簡單的工作誰都會做！」派遣工作遭解僱後又被叫回去，使得加藤的不滿情緒炸裂，痛訴自身的存在不被任何人需要。

加藤本人也在口供紀錄中表示：「我明白不應該有事件發生，腦中也有不想引起事件的想法。我寫下準備狀況、內心的感受，做出一連串的發言，心裡想著希望有人出來阻止我。（中略）可是，沒有一個人阻止我。」令人意外的是，加藤看似孤獨，在現實世界裡卻擁有很多朋友，工作也很細心，所以在職場上受到肯定。然而，加藤說自己在現實世界裡沒能夠擁有可以互訴「真心話」的關係，只能在留言板上找到訴說真心話的世界。為什麼會這樣呢？中島這麼做了分析：

——相同職場的同事、同鄉的朋友。

這些人是具有脈絡的他人。如果向他們說出「真心話」而不小心被討厭，將意味著也會失去特定的環境。如果被同事討厭，將會失去舒適的職場；如果被朋友討厭，將會失去故鄉。在真實世界的「直向關係」（上司／屬下、前輩／晚輩）和「橫向關係」（共享相同場所的朋友）上，吐露「真心話」的風險太高了。

職場的「直向關係」和「橫向關係」怎麼也避免不了會牽扯到利害關係，所以不可能凡事都能以真心話面對。中島強調著正因為如此，不伴隨直接利害關係的「斜向關係」才顯得重要。另一方面，中島也提出了質疑。高橋從事派遣工作而必須輾轉各地，家庭破碎使得他失去本應有家可歸的故鄉，每天能去的地方只剩下便利商店和牛肉蓋飯連鎖店，對過著這般生活的高橋來說，我們的社會是不是本來就沒有可以讓高橋與他人邂逅的地方？

活在相同時代裡的我們，想必都會在加藤身上，或多或少看見一些自己的影子。加藤的痛楚肯定與我們的痛楚有著重疊的部分。我們肯定也能在加藤走過的路上，看見自己周遭的他或她的影子。

我們只能從這般內心的痛楚出發，並且必須與世界、他人、自己對峙。很棘手，但也只能從這裡邁出步伐。

我一邊讀著作者的話語，一邊頻頻點頭。身為政治學家的中島岳志之所以不惜讓自己化身為非虛構文學作家反覆進行採訪，也要向世人痛訴這起事件，是因為我們已面臨這起事件無法與我們所生存的社會切割關係的局面。

一九六八年，十九歲少年永山則夫成為「連環殺人魔」，日本社會學家見田宗介也被他在獄中所寫的漢字習字帖深深觸動，並在一九七三年以論說文《視線地獄》，向世人提出質疑。見田宗介沒有以特別眼光看待一個特異者的人生便終結話題，而是從一個人的生與死的角度，帶著殷切的心情把焦點聚集到現代日本的問題上；這般研究者的工作表現，無疑是活在相同時代的我們這些讀者的財產。

通往自由之窗

當我們被逼到絕路時，就會失去選項，視野變得狹窄。那麼，該怎麼做才能夠拓寬自身的視野，不會因為對他人產生共鳴或被看不見的框架束縛住，進而獲得自由？

學問也被稱為「通才教育」（Liberal Arts），是為了使人們變得自由而有的教育。劇作家鴻上尚史在其名著《我讀「空氣」，但不盲從》中，分享了某孩子詢問父母為什麼要學習時的美好回答：

我問父母為什麼要學習時，父母指著杯子回答：「因為學習可以讓你持有各種觀點。如果是國文，會知道『透明的杯子裡裝著混濁的茶』；如果是數學，會知道『兩百毫升裝的杯子裡剩下少於一半的茶』；如果是社會，會知道『中國製造的杯子裡裝著產自日本靜岡的茶』。持有多樣化的觀點和價值觀可使心靈變得自由。」

透過學習，我們可以得到自己以外的他人觀點，進而使想像力這把傘一點一點地往外擴大。而且，有人形容我們是「在頭骨空間大的小小王國裡，為所欲為的暴君」，也就是說，為了擺脫偏見和認知偏差而變得自由，通才教育非常重要。這個人就是英才早逝的美國後現代主義文學作家大衛．福斯特．華萊士（David Foster Wallace）。華萊士身為作家前途備受看好，卻患有雙相情緒障礙症，一生受到強烈自殺念頭的折磨。華萊士多次自殺未遂，他接受服藥以及手術治療，為了讓自己活到底而持續奮戰，但最後終究沒能抗鬥到底。

華萊士一向不擅長在人前說話，但在走向死亡之前，他做過人生唯一一次的演講，並留下紀錄。這個紀錄就是《這是水》（*This Is Water*）。

這本書是華萊士給文理學院畢業生的祝福語。華萊士告訴畢業生所謂「真正教育的真正價值」，在於「在三十歲之前，不，應該說要在五十歲之前，設法擁有它，讓自己不會有想要一槍打穿自己腦袋的想法」。

無趣、一成不變的日常、微不足道的煩躁——我們的每一天之所以充滿著痛苦，是因為我們會以出廠設定的「我」來看世界；華萊士提出這樣的見解，並告訴畢業生：

自由非常重要，需要專注、保有自我意識、自制、努力不懈，每天都能夠發自內心為他人設想，以各式各樣微不足道而笨拙的方式，一而再、再而三地為他人犧牲，這才是真正的自由。

這段話一點也不像畢業典禮的祝福語，但廣告公司在華萊士自殺後將影片上傳到 YouTube，造成了廣大的迴響，一週內便達到超過五百萬觀看次數。

有些煩惱微不足道，在事情過去後，可能試圖回想也想不出來，但對本人來說，為煩惱而苦的那段時間，就宛如掉進無限黑暗的深淵，不知何時才能抵達盡頭。當未來像這樣陷入一片黑暗之中時，只要去到書店就能看到無數方形窗，那些方形窗可以讓陷入黑暗的未來釋放出來。當然，釋放未來的那扇窗也可能是電影、音樂、與朋友的對話、眼前的風景，或抬頭仰望時看見的雲朵形狀。不過，畢竟我是在書店工作的人，所以還是期望那扇窗可以是一本書。

第3章

尋找新工作方式之旅

據說人們身處在歷史重大事件時，不會察覺到其重要性，但新冠肺炎（COVID-19）肆虐全球，明顯改變了我們的生活。在人類史上，並非第一次遇到這類危機，而且很遺憾地，這恐怕也不會是最後一次。義大利作家保羅．裘唐諾（Paolo Giordano）在《傳染病時代的我們》（*Nel contagio*）中，以撞球互撞來比喻傳染性肺炎，並這麼描述全球化社會帶來的「新模式的連帶關係」：

> 無人能倖免；這個說法一點也不誇張。人們彼此互相作用，如果可以用黑筆畫線串起人們，世界想必會變成黑漆漆的一團塗鴉。（中略）若以數學圖論來表達，我們所生存的這個世界會是一張具有無數接點的圖。病毒可以沿著黑筆畫出來的線，流竄到任何地方。

當然，我們不可能每個人都認識地球上的所有人。不過，我們有家人、有朋友、有情人、有同事。多數人的電話簿裡都登記了超過百人以上的姓名。如果換成公司，就會與好幾百、好幾千個交易對象和客戶有所聯繫。若是大企業，更會一口氣擴大到好幾百萬的規模。

美國社會學家鄧肯．沃茨（Duncan Watts）在其著作《偶然的科學》（*Chance*）中，將多數人都是藉著短短的「鍊條」串在一起的複雜現實，取名為「小世界網路」（Small World Network）。小世界網路的源頭，是來自匈牙利作家弗里傑斯・卡林西（Frigyes Karinthy）在一九二〇年代發表的短篇小說《鍊條》（*Chain-Links*）。

「諾貝爾獎得主也好，福特汽車的工廠作業員也好，都只要透過區區五人的朋友鍊條，就能夠與世界上的某人聯繫上。」弗里傑斯所寫的故事裡描繪著這般世界，而社會心理學家史丹利・米爾格倫進行「小世界網路實驗」證實了這個事實，並創造出「六度分隔」的概念。

「世上任何人與美國總統之間，都只隔著六次握手的距離。」生活在這般社會裡的我們，未來該從事什麼工作？該如何生存？身為一個書店店員，我希望能夠把可帶著自信推薦的書籍排在書架上，推薦給同樣在這個時代生存的讀者。一路來，我抱著這般心願反覆從書架上拿起書籍閱讀，並以自己的方式持續思考。就在我遲遲沒能找到理想中的答案、每天反覆摸索時，一位請我幫忙選書的客人，告訴了我一本書的存在。

這本書的作者是日本作家濱崎洋三的作品《我想對你說》，是一九九八年出版到第三刷的長銷書，查看出版社後，我著實吃了一驚。出版者是被形容是「書店員的聖地」、位在日本鳥取縣的定有堂書店。

我好奇不已，書店怎麼會出版書籍呢？詢問客人後，客人告訴我他是鳥取縣人，以前經常光顧定有堂書店。這位客人高中時在定有堂書店邂逅了這本書，即使後來到了東京工作，擁有自己的家庭，也生了小孩，還是一有機會就會重溫這本書。雖然可以從鳥取縣以貨到付款的方式購買這本書，但我心想在這個時間點有緣得知這本書以及定有堂書店，肯定會帶來什麼契機。我怕只要一遲疑就會下不了決心，於是毫不猶豫地決定親自跑一趟鳥取。

書店員的聖地「定有堂書店」

下了高速公路抵達鳥取的鬧區後，我把車子停在位在站前、事先預約好的旅館停車場。在夕陽餘暉灑落的商店街拱廊上走著走著，看見如七夕般到處掛著短箋*，上面寫著考生祈求合格的心願。看見很多人立志考上東京大學，令人頗為驚訝。咖啡店裡飄來的咖啡香氣、午餐種類豐富的西餐館、店門口的商品長期受到日晒的文具店。我明明從來沒有來過這條商店街，不知為何卻有種熟悉的感覺。

來到寫著定有堂書店字樣的門前，我做了一次深呼吸走進店內後，新發行的雜誌、文庫本、新書迎接了我的到來。牆壁的木板上貼著滿滿一片來自書店老闆的訊息，我一邊讀著訊息，一邊從書架這一端走到另一端，望著獨家編排過的書架內容。我看見了在我工作的書店書架上，平時總是縮成小小一團被埋沒在眾多書籍之中的書被打上聚光燈，才恍然大悟地察覺到原來那是一本什麼樣的書。

書架與書架之間，可以看見定有堂書店的自製雜誌悄悄擱著，也能看見同一本書被放在好幾個不同地方，每本書宛如稜鏡一般與相鄰的書本相互映照之處也教人印象深刻。挑好想買的《我想對你說》以及其他幾本感興趣的書之後，來到收銀台前，書店老闆奈良先生溫和地展露微笑打招呼說：「你好。」奈良先生的親切態度讓人感到放鬆，我不由得脫口詢問參觀書架後感到在意之處。

「我看見西村佳哲的《創造自己的工作》旁邊，放了高村友也的《小屋》，為什麼會這樣擺設呢？」

這兩本書沒有陳列在定有堂書店的文庫書架上，而是並排陳列在生存方式、生活模式等各種書架上。奈良先生給了簡單明瞭的答案。答案就是，因為這兩本書提示了新冠肺炎疫情後的

＊七夕最早於奈良時代由中國傳入日本，現在已成為日本的傳統祭典之一。舉辦七夕祭典時，人們會在短箋寫下願望掛在竹子上。

生存方式。奈良先生還告訴我這兩本書是定有堂書店賣得最好的書。這兩本都不是新書卻賣得好，究竟是為什麼呢？《創造自己的工作》是談論工作的必看書，作者把焦點放在圍繞在我們生活周遭的產品上，並透過與製造者的對話，以貼近日常生活的方式告訴我們，我們的世界之所以得以運作，是因為有某人的工作在背後支撐。

至於《小屋》，雖然還沒有閱讀過，但我有印象高村友也是掀起小屋風潮的作者。這本書之前經常與《我決定簡單的生活》一起被陳列在書店的平面書台上，該書的作者是掀起極簡主義的佐佐木典士。

工作與生活……原來如此。這兩本書帶給了我出乎預料的提示。回到旅館後，我立刻閱讀起在定有堂書店購買的《小屋》。我一邊喝著從超市買來的啤酒，一邊閱讀，隨著每往下翻一頁，閱讀前持有的偏見漸漸散去。我為自己能夠在定有堂書店邂逅這本書感到慶幸。雖然距離遠了點，但深深覺得幸好自己親自跑了一趟鳥取。

《小屋》是一本描述作者如何親身實踐不要被高額房貸或房租綁住，遠離過剩消費社會的「小屋運動」，並一路留下紀錄的非虛構作品。

美國的小屋運動提倡者夏佛（Simon J. Schaffer），說過一句令人印象深刻的話：「過大的房子與其說是家，不如說是借款人的囚牢。」差不多從二〇〇〇年開始，世界各地同時興起多起小屋運動，發生雷曼兄弟金融海嘯後，更是加速發展。作者指出「家越小就越自由」，對我來說，這是一句狠狠刺進心頭的挖苦話語。為什麼呢？因為閱讀這本書的那時期，我正在考慮要不要貸款蓋房子。不過，我實在沒有信心能夠一直繳房貸下去。後來，加上其他事情來攪局，所以暫時放棄了蓋房子的念頭。不過，閱讀《小屋》帶給了我正向的思考，哪怕某天失業或生病，事到緊要關頭時，還是可以靠著小屋生活生存下去。

思考新工作方式

書店的平台會反映出每一個時代。就我個人的感受來說，從商業書的暢銷榜，特別能夠看出時代的變化。大型書籍通路商「東販」每年都會針對「年度暢銷書」進行統計，如果拿出當中的「單行本 商業書籍部門」的每年統計資料來看，將會發現時代的變化透過書籍變得具體化。

東販從一九九〇年開始公開其統計內容，統計內容大致看下來，可得知一九九〇年到二〇〇〇年，在暢銷榜上名列前茅的作者包括落合信　、堺屋太一、長谷川慶太郎、大前研一等企業家、政治家等高知名度的權威人士。由此可知，在這個時代裡，社會地位較高的作者可受到讀者的支持。然而，隨著日本的景氣惡化，排行榜上名列前茅的作家陣容出現了變化。細野真宏、神田昌典、勝間和代等曾經在外商任職過的員工、補習班講師取代了權威人士，開始席捲排行榜前幾名。

在三洋證券、山一證券宣告破產的一九九七年，排行榜直接反映出當時的世態。彷彿說著「日本的經營者不可靠」似地，翻譯書的風潮竄起，翻譯書的里程碑《與成功有約》坐上了排行榜第一名的寶座。

一九九九年，股票投資自由化，股票入門書的需求變高，並在隔年的二〇〇〇年一本又一本地擠進暢銷排行榜前十名，包括第四名《從網路上的零股開始交易，靠股票賺進一億元！》、第六名《貓咪也看得懂的股票入門書》、第七名《這樣買股票就對了》、第十名《「股票」、「投資信託」、「外幣存款」一點就通的基礎講座》。

二〇〇一年的主題為商業書的寓言故事化。《誰搬走了我的乳酪？》在短期間內即成為百萬暢銷書，同時也有商業書籍排行榜第一名的《富爸爸，窮爸爸》、以小說筆法撰寫的企管書籍《目標》登上第五名，大幅扭轉了商業書的趨勢。

二〇〇三年的特徵在於讀者群的變化，以嬰兒潮世代為對象的《退休生活大全》，還有以年輕世代為對象的《年收三百萬元時代的生存經濟學》同時入榜，這兩本書在必須設法在未來存活下去的世代，以及必須咬牙走完人生的世代之間交錯，炒熱了商業書的市場。

二〇〇五年後，進入了低成長時代，大企業架構出來的商業模式開始瓦解。在此狀況下，以《擁有好人緣的說話技巧》為首，提升自我價值的技能書籍、自我啟發書籍開始嶄露頭角。光是觀察商業書籍的暢銷排行榜，也能夠深刻感受到商業人士為了拚出成果，無不勞心費力。

二〇一六年，林達・葛瑞騰（Lynda Gratton）與安德魯・史考特（Andrew Scott）的合著《100歲的人生戰略》（*The 100-Year Life*）出版後，帶來了新變化。二〇一二年，林達・葛瑞騰透過《工作轉移》（*Work Shift*）一書，提出只要改變每個人的工作方式和思維，就能夠讓黑暗未來化為明亮未來的論點，這回又丟出了百歲人生時代這個大難題，讓活在現代的人去思考。接下來的日子，所有世代的人們該以什麼方式工作、該如何生存？這個問題的答案必須靠大家透過自己的人生去尋找。林達・葛瑞騰指出，人們正面臨這樣的時代，使得讀者停下腳步，做起了思考。

那麼，我們接下來必須思考的新工作方式，究竟是什麼方式？針對這個大難題，定有堂書店的奈良先生以兩本書漂亮做出回答。就我的解讀，奈良先生給的答案是，從事好的工作，以及過像樣的人類生活。重新思考過工作和生活後，過去不曾被吸引目光的農業或飲食相關書籍勾起了我的注意。老實說，農業或飲食並不是我過去會主動關注的主題，但這幾年在商業書的暢銷榜上，也會看見這類主題的書籍。我聽說一位在東京市區負責商業書的同事，針對佐川友彥的《我東大畢業，立志成為農夫的得意助手》展開重點式銷售後業績蒸蒸日上，於是向同事請教了原因。

「在東京市區，農業相關的書也能引起讀者的迴響嗎？」

「沒有，那其實算是一本談論生存之道的書。很不錯的一本書。可以當成企管書來閱讀，我自己讀了也很有共鳴。」

就來店客層也好，書籍屬性也好，這本書聽起來都很適合我服務的分店。「那我也趕快來閱讀，然後也在我們分店銷售看看。」我急忙這麼回答，並準備掛斷電話時，同事回了一句：「對了，我打算離職。」意外的話語讓我頓時說不出話來。

「也不能說是受到這本書的影響，但我打算放手一搏，挑戰農業看看。我本來就有想要自己辦雜誌的念頭，所以都會利用假日去採訪農民。加上我也針對這本書做過重點式銷售和其他什麼的，結果跟當時採訪過的人滿投緣的，就決定在那須種米。」

聽著同事豁達開朗的回答，我感受到自己與同事眼前正看著不一樣的景色。

「如果我出了雜誌，你會幫我賣嗎？」聽到同事這麼詢問，我一邊回答：「那當然。」一邊思考起來。我思考著自己一直在探尋的新工作方式的書籍，與同事的行動是不是在某處有所連結？

人們為什麼要工作？其理由大多是為了生活。不用說也知道，如果少了食物，人類就會活不了命。我經常買UNIQLO的衣服，買東西時也會在網路上尋找最便宜的商品。外食時，我會選擇連鎖店或小餐館，點大分量的餐點來吃。

我們的日常總是仰賴於某人生產的「商品」。若想要在不仰賴任何商品之下過活，幾乎是不可能的事。光是踏出家門準備前往車站，就會在沿路上看見充滿吸引力、讓人產生購買欲的商品或服務。我們生活在一個不論做什麼，都必須先以金錢作為媒介的社會。必須有金錢才能得到想買的商品，所以我們必須工作。

不過，如果像同事那樣往外踏出一步，能夠自己生產自己要吃的食物，就不會餓肚子。哪怕沒有賺錢，也能拿自己生產的稻米，去換來菜餚或啤酒。放棄「賣掉自己的時間來賺取金錢」的生存方式，換成「以利用自己的時間所生產的物品來以物易物」的生存方式。不要為了填飽肚子而工作，而是為了生存而工作。聆聽同事的一段話，讓我忍不住問起自己：「如果把工作方式當成一張白紙來思考的話，未來我該選擇什麼樣的生存之道？」

不要為了填飽肚子而工作，而是為了生存而工作

脫離上班族身分，轉以農業維生。聽了同事的故事後，讓人不禁嚮往起自給自足的生活，但不管我再怎麼努力想像，也想像不出自己遠離書籍過生活的模樣。雖然我個人做不到像同事那樣自給自足地過活，但也不認為就這樣反覆做著購買後加以消費的行為，任憑自己一直處在這樣的循環之中是件好事。

這麼說或許顯得半吊子，但如果能夠在不完全脫離社會之下，只有一小部分做到像同事那樣的生存方式和思維，或許就能改變看待世界的方式。就在我抱著希望多少有些改變的想法而反覆嘗試摸索之中，邂逅了朝日新聞記者近藤康太郎所寫的《美味的資本主義》。

我們生活在資本主義社會裡，其原理就是靠著「勞工大量生產商品後，再由身為消費者的勞工大量買回商品」的循環而運作。帶動這個循環的引擎是，自身不具生產手段的「勞工」與「消費者」。

近藤提出了質疑，社會之所以變得扭曲，原因是不是就出在勞工不能選擇生產，而消費者不能選擇不購買？另外，近藤不僅把對於資本主義社會的質疑寫成報導，也實際拿自己的人生做實驗，以誠摯的態度在摸索之中，開闢出一條非資本主義的另類之路。

首先，近藤以「作家」來定義自身的天職，並斷言：「寫作等於生存。」在這般想法下，近藤思考擬定策略，好讓自己這輩子只有一遭的人生得以投入寫作工作、得以籌劃自己的生命。如果希望哪天萬一被公司炒魷魚，也要一直賴著寫作工作，而且不會餓死，就必須靠自己的雙手掙得生活所需最低限度的糧食，說穿了就是軍糧。只要做得到這點，就能一輩子持續從事寫作工作。

令人欽佩的是，作者為了證明自己提出的這個假設，實際做了實驗。作者在從事新聞記者工作的同時，利用上班前的清晨時間在田裡只工作一小時，以查證能否生產足夠吃上一年時間的稻米。這輩子從來沒有離開城市生活過的作者，卯足勁地挑戰農業、展開前所未聞的另類農夫生活。沒想到當一個公司的正職員工，也能同時擁有這樣的生存方式！我深感好奇，不知道擁有這般生存方式的近藤康太郎會是個什麼樣的人？開始閱讀後，我完全停不下來，連忙從作者的出道作品《真實搖滾》，一鼓作氣地閱讀到最新作品。

不出所料，作者的挑戰沒有止步於種米。在《阿囉哈獵人開張》中，作者更進化為獵人；在可形容是作者集大成之作的寫作技巧指南書《子彈寫作》中，作者描繪出藉由寫作、閱讀、生存而逐漸生成的社群樣貌。人類的創造來自於言語。所以，讀書、寫作非常重要，它們能夠幫助你耕耘出更為豐富的人生。作者始終秉持這般態度，深深撼動了我的心。

說來羞愧，從出社會開始工作後，我就一直懷抱升官夢。所以，看見同梯的同事升官時，我總會感到在意。不過，我並沒有思考過自己為何想要升官。與世人一樣，我也想要有錢，也希望自己在工作上擁有符合年齡的地位。如果要把當時的心情化為言語，我想應該就是這麼回事吧。

不過，近藤的自傳式讀書指南《看過十三本世界經典名著的「故事大綱」，就能明白一切的人生意義》，在這本書的引導下，我讀了托爾斯泰（Leo Tolstoy）的《戰爭與和平》（*War and Peace*），結果發現我想要升官的原因就寫在這本書裡。

> 人類的所有渴望、生存欲望，都來自於想要增加自由的渴望。富貴與貧窮、名望與卑微、權力與屈從、強大與弱小、健康與疾病、教養與無知、辛勞與閑適、飽食與飢餓、善與惡，這些只不過是程度或多或少的自由罷了。

書中告訴我富不富裕、有無名望的差別純粹是自由程度的差異，我訝異得忍不住喊出聲音。我怎麼也沒料到，托爾斯泰早在一百多年前就寫下的作品，竟一語道破了我的人生。哪怕作者所生存的地點、時代、語言有所不同，人生與書架總是相連的。現在再看一眼書架上的書，忽然覺得變得與以往不同了。

那麼，我想要的自由究竟是什麼樣的自由？比方說，可以在想放假的日子放假？可以請到連休？可以自己決定上班時間？可以配合自己的行程安排午休時間或拜訪客戶的時間？我試著做了具體的思考，卻只想得到這般程度的自由。對於自己想要追求的自由之小，我不禁感到失望，但也慶幸這讓我明白了對我而言，升官並非必要，人生頓時也變得輕鬆了些。

購物與垃圾島

一九九七年八月某天，查爾斯・摩爾船長（Capt. Charles Moore）搭著帆船從美國夏威夷檀香山出港，準備前往美國加州聖塔芭芭拉（Santa Barbara），卻意外駛入太平洋正中央、平靜無風的高壓帶海域，難以航行。為了在耗盡燃料之前盡快捕捉到海風，摩爾船長刻意偏離正常航路行駛時，眼前出現了令人難以置信的景象。摩爾船長在《塑膠海洋》（*Plastic Ocean*）一書中，回顧了當時的狀況：

當初在航海中，我依照從甲板上看到的塑膠碎片，用筆記本大概算了一下。我連續七天目擊到散布在面積超過一千海里以上的塑膠垃圾。我估算這些「塑膠微粒」大約呈直徑一千海里的元形擴散在海域上，如果以每一百平方公尺約有二百三十公克來計算，就表示那裡有六百七十萬噸的塑膠。

我們持續丟棄的垃圾不是被丟在垃圾場，也不是被埋入海埔新生地，而是浮在太平洋的正中央。從世界各地一路漂流過來的寶特瓶、瓶蓋、奶嘴、牙刷、免洗餐具、塑膠袋、漁網、浮標等大量垃圾，歷經多年的時間聚集到不會被任何人看見的地方，宛如一座巨大紀念碑似地浮在海面上。面積將近日本列島十倍大的巨大「垃圾漩渦」，後來被取名為「太平洋垃圾帶」，也被視為大量消費社會的黑暗面象徵而受到強烈關注。

在大海裡持續劣化的塑膠微粒會混雜在海水之中，隨著浮游生物被海洋生物攝取到體內，也會蓄積到人體內。世界各地接二連三地發現因胃部塞滿無法消化的塑膠，而活活餓死的海鳥、海龜、鯨魚屍體。獨自一人發起「為氣候罷課行動」的瑞典環保少女葛莉塔・通貝里（Greta Thunberg），在《我是葛莉塔》（*Scener ur hjärtat*）中說明過她當初之所以會思考到環境問題，也是因為在學校課堂上觀賞電影時，影片中描述了大量垃圾浮在全世界的海洋上。

我們已經受夠了大量生產、大量消費的用完就丟文化！我們不想再看到這樣的景象，也不認為可以繼續放任下去！現在經常可以看到這類的報導內容，我自身也認同這樣的想法。然而，我們無法停止購買的行為。這到底是為什麼呢？

法國社會學家尚．布希亞（Jean Baudrillard）在其出道著作《物體系》（*Le système des objets*）中，針對現代社會的「消費」做了定義，明確區分出與以往時代之間的差異。

> 也要明白地指出，消費的對象，並非物質性的物品和產品：它們只是需要和滿足的對象。我們過去只是在購買 擁有 享受 花費——然而那時我們並不是在「消費」。「原始的」節慶、封建領主的浪費、十九世紀布爾喬亞的奢華，都不是消費。（中略）
>
> 消費並不是一種物質的實踐，也不是「豐產」的現象學，它的定義，不在於我們所消化的食物、不在於我們身上穿的衣服、不在於我們使用的汽車，也不在於影像和訊息的口腔或視覺實質，而是在於把所有以上這些（元素）組織為有表達意義功能的實質。（中略）要成為消費的對象，物品必須成為記號。

布希亞也這麼做了描述：

這便解釋了為何**消費沒有止境**。(中略)消費的強制性格並非來自心理上的某種宿命性(比如喝過的人會更想喝等等),也不是來自社會威望單純的強制力。如果消費似乎是克制不住的,那正是因為它是一種完全唯心的作為,(在一定的門檻之外)它和需要的滿足以及現實原則沒有任何關係。

「想擁有什麼,就擁有什麼。」這是日本廣告人糸井重里在一九八八年為西武百貨公司寫下的廣告文宣,當時的日本正值高度經濟成長期。買了再多東西也不覺得人生變得豐富,甚至連自己想要什麼也不知道。即便如此,還是停止不了購買行為。原因是,我們購買的不是該物品本身,而是記號。不論買再多記號,也無法得到滿足。我們這些不停購物的消費者,把家中容納不下的持有物,擴充到租賃倉庫持續收納。這般現狀正顯現出尚・布希亞指出的「消費」概念。

不過,如果換個角度從製造商的立場來看,「消費者」願意反覆購買的拋棄式商品,等於是無止盡的收益來源。不限於拋棄式商品,反覆進行改款或版本升級的商品群也是一樣。日本厚生勞動省的「平均餘命之年度變遷」資料顯示,一九四七年的日本人壽命為五十歲,但到了二〇一〇年已增加為七十九・六歲,足足拉長了三十歲。然而,在另一方面,我們所使用的商品壽命卻是越來越短。以上市十年、累積銷售數量突破十二億支 iPhone 來說，從二〇〇七年到二〇一九年已經反覆升版到十二代。這簡直就像在說，技術的進步會縮短商品的壽命。

比起老舊耐用的骨董，我們大多數人更喜歡新商品。一路來，我們反覆做著購買再丟棄的行為，不停擴大消費的循環來穩定社會。這樣的世界觀讓人覺得彷彿看見了英格蘭作家阿道斯・赫胥黎（Aldous Huxley）的反烏托邦小說《美麗新世界》。在《美麗新世界》（*Brave New World*）裡，孩子們出生後就一直在睡夢中被灌輸「舊衣服爛透了」、「與其拿去修補，不如丟了吧」的觀念，並且認為大量消費、大量生產的社會才是實現幸福社會的真理。為了讓自己從購物清單無限拉長的惡夢中醒來，我們能做什麼嗎？

英國新聞記者詹姆斯・布勞德沃斯（James Bloodworth）透過《在亞馬遜的倉庫陷入絕望、在 Uber 車上發飆》（*Hired: Six Months Undercover in Low-Wage Britain*），讓我們看見了想像力再豐富的人也想像不到的「點一下滑鼠後的另一端世界」。在全球科技四大巨頭 GAFA（Google、Apple、Facebook、Amazon）之一、世界最大規模的零售商「亞馬遜」（Amazon）的工作現場，被要求隨身攜帶手持式裝置的外籍勞工們，任憑汗水從額頭上滑落，在貼上「走廊勿奔跑」警語的走道上拎著包裹持續奔跑。在一旦產能下降就會遭到無情解僱的僱用環境下，員工得不到支持，更沒有時間喘息。「對多數人而言，過去曾是可以讓人引以為傲的『工作』，變成了企圖奪走尊嚴和人性的無情攻擊」；布勞德沃斯透過採訪亞馬遜、Uber 等高產能的全球企業，報導出這個事實。

從「Me」變成「We」

有一本書透過分析美國的保齡球人口，為社群的瓦解與重生帶來了新的觀點。這本書就是在哈佛大學研究公共政策學者羅伯特．D．普特南（Robert D. Putnam）所寫的《獨自打保齡球》（*Bowling Alone*）。普特南發現在一九八〇年到一九九三年之間，美國的保齡球人口明明增加了一〇％，保齡球聯盟的職業選手人口卻是減少了四〇％。競技人口明明變多，團體打保齡球的人數卻變少了，這到底是怎麼回事？其背後藏著什麼現象？普特南將「社會資本」定義為「社會網絡以及從中產生之互惠性與信賴性的規範」，並證實美國所主導的消費文化使得社會資本劇烈減少的事實。普特南解釋我們所擁有的便利與舒適，使得人們之間的關係變得薄弱，在人與人之間築起一道無形高牆。

美國演員摩根．史柏路克（Morgan Spurlock）在他親自導演的紀錄片《麥胖報告》（*Super

Size Me）中，以自身的肉體變化，證實了高喊「便宜、快速、好吃口號」的速食店，是造成肥胖現象在美國社會蔓延的原因之一。

以時尚民主化為口號、將年輕族群視為主要客層的「快時尚」，壓縮從設計到零售的時間，並將大量商品投入市場，成功達到急速成長。另一方面，卻造成了大量商品遭到廢棄，以及周邊地區被迫接受嚴酷工作環境的問題。「孟加拉薩瓦區大樓倒塌事故」造成千人以上死亡，釀成一場讓人永生難忘的悲劇。

始於英國經濟學家亞當·史密斯（Adam Smith），並由彌爾頓·傅利曼（Milton Friedman）傳承下來的新自由主義思想，徹底滲透衣、食、住文化，促成了終極消費文化的誕生。不過，在另一方面，新自由主義思想也帶來了如「太平洋垃圾帶」般無法回歸大自然的大量垃圾，並且不僅持續破壞人與人之間的關係，也持續破壞工作環境。

在世界扭曲變形並引發連鎖反應的悲劇之中，我們真正需要的是什麼？英國學者雷切爾·博茨曼（Rachel Botsman）的作品《共享》（*Share:What's mine is yours*），搶先點出了這般社會變化。博茨曼把焦點放在消費社會究竟如何形成、一路來如何破壞社會的問題上，同時針對具有改變此現狀潛力的共享經濟之歷史與願景，做了詳細的描述。

博茨曼認為共享經濟的核心在於「資源的重新分配與流動化」，並指出「當某處有過剩的物資，就表示有某處缺乏該物質」，而「共享」的概念能夠排解缺乏物質的問題。博茨曼表示「實質物品、私有、自我身分之間的關係性，正從根本逐漸進化中」。舉例來說，美國約有一半的家庭，也就是約有五千萬人持有電鑽。不過，大多數美國人會使用到電鑽的時間，一生當中只有短短六到十三分鐘。持有電鑽是我們真正渴望的事情嗎？博茨曼這麼提出了質疑。我們多數人其實不是想要擁有CD，而只是想要聽音樂；我們不是需要DVD，而只是想看電影，不是嗎？也就是說，我們所追求的與其說是「物品」（本身），不如說是藉由該物品而得到滿足的需求或經驗才更加貼切。博茨曼讓我們明白了「持有」的概念已經改變，接下來將迎向「利用」勝過「持有」的世界。

另一方面，旅居紐約的日本作家佐久間裕美子透過《We的市民革命》，讓我們知道在孕育出大量消費文化的美國，正展開著消費革命。事實就是，即便被視為萬惡根源的「購物」，也能讓世界變得更好。進入川普當政的時代後，現實社會充斥著種族主義、多樣化攻擊，加上對未來地球環境的危機感，使得在美國國內占有七千萬以上人口、各世代中購買能力最強的Y世代，與接在其後「Z世代」建立起連帶關係。

「錢包裡裝了多少錢就有多大力量」，抱持這般世界觀的消費者們，扛出兩大武器採取了行動。這兩大武器就是，表態不購買與自己不支持的政治家有所關聯之企業或品牌商品的「抵制」，以及樂意花錢購買願意負起社會責任之企業或品牌商品的「反抵制」。

從「持有」變成「共享」。

從「Me」變成「We」。

在二〇一五年九月的地球高峰會上，所有會員國一致決議採納 SDGs，此事實象徵著消費者的意識逐漸移向可永續發展的透明社會。理所當然地，人類無法獨自一人生存。正如日本農業指導家宮澤賢治在《農民藝術概論》一書中提到，「當全世界的人都幸福的時候，才會有個人的幸福」。

找不到想做的工作

我們把人生的大半時間都獻給了工作，但相反地，在全世界當中，日本人對工作的滿意度偏低也是眾所皆知的事實。從一九九三年起，NHK 放送文化研究所便加入「國際社會調查計畫」（International Social Survey Programme, ISSP）的陣容，根據 ＩＳＳＰ 在二〇〇五年的調查結果，在全世界三十二個國家當中，日本的工作者對工作的滿意度排名第二十八名。

另外，二〇一九年，荷蘭跨國人力資源服務公司任仕達（Randstad）發表「Workmonitor」研究報告的「職務滿意度調查」，日本也是三十四個國家當中的最後一名。二〇一七年五月，日本經濟新聞報導，從事輿論調查、人才諮詢服務的美國公司蓋洛普，以世界各國的企業為對象實施了員工敬業度（對工作的熱忱度）的調查後，得知日本的「滿腔熱忱員工」為六％。日本人究竟為了什麼而工作？打算走向什麼樣的未來？

二〇〇九年，英國智庫新經濟學基金會（New Economics Foundaticn, NEF）在官網發表了一份耐人尋味的調查，由艾莉斯·拉夫洛（Eilis Lawlor）、海倫·凱絲莉（Helen Kersley）和蘇珊·斯蒂德（Susan Steed）共同研究的《有點富裕：計算不同職業對社會的真正價值》（*A Bit Rich:Calculating the real value to society of different professions*）。此調查分別針對高收入和低收入各三種職業，共六種職業，以「社會價值」來分析工作價值。分析結果如下：

1. 銀行投資家（年收入七千五百萬至十五億日元）：每產生一英鎊（一百五十日元）的利益，即破壞七英鎊的社會價值。
2. 幼教老師：每賺取一英鎊的薪資，即帶來七至九·五英鎊的社會價值。
3. 廣告公司董事（年收入七百五十萬至十八億日元）：每產生一英鎊的利益，即破壞十一英鎊的社會價值。

4. 醫院清潔人員：每賺取一英鎊的薪資，即帶來超過十英鎊的社會價值。

5. 稅務顧問（年收一千一百二十五萬至三千萬日元）：每產生一英鎊的利益，即破壞四十七英鎊的社會價值。

6. 回收業員工：每賺取一英鎊的薪資，即帶來十二英鎊的社會價值。

——擷取自調查內容

這份報告讓我們明白了一個現狀，工作的社會價值與作為其收益的薪資之間絕非互不相關。雖然NEF以保留的態度表示其分析的六種職業所呈現的傾向，並不能套用於所有職業，但針對我們因工作而獲得的收益，與我們的工作對社會帶來的價值之關聯，貼上了大大的問號。

當然了，對我們來說，從事工作是為了生活。畢竟有錢總比沒錢好。不過，二〇二一年，日商倍樂生公司發表的「高中生嚮往的職業排行榜」帶來了鼓舞力量，讓我們知道工作絕非只是為了生活。看過排行榜後，能夠感受到高中生們在思考著什麼。

第一名　護理師
第二名　地方公務員
第三名　程式設計師
第三名　系統工程師
第五名　幼教老師
第六名　藥劑師
第七名　營養管理．營養師
第八名　心理諮詢師
第九名　高中老師
第十名　歌手、音樂人
第十名　遊戲設計師

首先，護理師榮登第一名寶座的結果令人訝異。接著是鐵飯碗代表的公務員排在第二名，充滿夢想的音樂人或遊戲設計師出乎預料地落在第十名。不論哪個時代，都會有腳踏實地的人，也會有追求夢想的人。不過，我想都沒想過會有這麼多高中生選擇有助於他人的工作。

另一方面，難免還是會發生不論多麼期望，也無法順利從事某工作的狀況。日本作家石井新追求過夢想卻沒能實現，最後選擇可以在盡量不工作之下，讓自己活下去的生活，他在《在深山當尼特族》一書中，這麼描述了自己放棄立志成為教師的夢想，而變成尼特族＊的經過：

> 我內心描繪著理想的教師模樣，也希望當一個老師，以自己的方式去理解像我一樣個性彆扭的孩子。（中略）
>
> 我滿懷著期待，意氣風發地挑戰實習老師的任務。
>
> 沒想到就此展開了三週的地獄生活。
>
> 短短三週的時間。
>
> 光是如此，便足以摧毀一個人。（中略）
>
> 我的腦海裡經常浮現：「這麼點任務都無法達成，其他事情肯定也沒有一樣能做得好。」

＊ Not in Education, Employment or Training, NEET，又稱為「啃老族、家裡蹲、繭居族」，指每天宅在家，不就學、不就業的年輕人。

作者深感挫折，開始關在家裡足不出戶。作者連大學也懶得去，更別說是想要畢業。不過，作者參加了國中同學的畢業旅行。與同學在廣島吃著廣島燒時，電視裡現場轉播的氣仙沼港景象讓作者難以挪開目光。那天是二〇一一年三月十一日。五天四夜的旅行中，作者不由得一直思考：「如果當時我也在那現場，不知道會怎樣？」持續思考到最後，作者去了福島，當起義工。從事義工活動後，作者有感而發地心想：「說來說去，人的生死不過取決於運氣。」。於是，作者下定了決心，他告訴自己既然如此，就要讓人生過得不會在到了死亡那一刻感到後悔。就算賺不到錢、就算沒有工作，也希望能夠為他人帶來幫助；作者的這般殷切願望，著實引人深思。

毫無貢獻的工作

「你的工作為世上帶來了有意義的貢獻嗎？」二〇一三年，一篇論文提出這般質疑，並掀起了社會現象。這篇論文發表後，立刻引起猛烈迴響，並且被翻譯成超過十一個國家以上的語言。當時，發表這篇論文的美國網路雜誌《STRIKE!》的伺服器連連當機，紀錄下超過百萬的點閱率。這篇人人爭先恐後地搶著閱讀、持續擴散的專文，就是美國無政府主義的人類學家大衛・格雷伯（David Graeber）所投稿的「論狗屁工作現象」（Bullshit Jobs）。

「狗屁工作」是格雷伯自創的用詞，根據其著作《四〇%的工作沒意義，為什麼還搶著做？論狗屁工作的出現與勞動價值的再思》（*Bullshit Jobs*）的說法，「所謂狗屁工作是指完全無謂、不必要或有所危害，連受僱者都沒辦法講出這份職務憑什麼存在，但基於僱傭關係的條件，卻又覺得有必要假裝其實不然，這種有支薪的僱傭類型就叫狗屁工作」。為什麼格雷伯非得要寫這篇專文呢？原因是：

> 文章是從一個直覺起頭的。有一類工作，在圈外人眼裡閒閒沒事，而且每個人都不陌生：人力資源顧問、溝通協調人、公關研究員、財務策略師、商務律師，或是把時間花在給委員會充人頭、而這委員會是要檢討委員會浮濫問題的那種人。（中略）這類工作的清單簡直可以沒完沒了地開下去。那時我想，會不會這些工作真的毫無用處，而且做這些工作的人都心知肚明？

作者受邀上媒體時也掀起熱烈議論，促使輿論英國調查公司 YouGov 針對格雷伯的假設進行驗證。驗證結果得知令人驚訝的事實，英國、荷蘭等富裕國家有三七%到四〇%的工作者認為自己的工作無用。

根據作者的整理內容，這類「狗屁工作」是在一九五〇年代後開始急速增殖，其大多數是從事被經濟學家們定義為FIRE類（金融〈finance〉、保險〈insurance〉、房地產〈real estate〉）、所謂第四次工業的工作者。格雷伯語帶保留地表示：「當然，並非所有從事這類工作的人都覺得自己是在做狗屁工作。」不過，他還是指出這類工作的增加與金融資本的增加有所關聯。

華爾街的利潤並非來自貿易或製造業等相關企業，而是來自於負債、投機、複雜的金融商品；格雷伯痛斥這般事實是「一種詐騙」，並分析表示：「基本上，金融類的大部分行為都是在運用巧妙的伎倆，同樣地，隨著金融類的膨脹，資訊類的工作也幾乎大部分都是在運用巧妙的伎倆。」

另外，格雷伯也指出「多餘的消費與狗屁工作之間，無疑有著極深的構造類似性」，並表示資本主義的出現，使得持有資本者與未持有資本而被迫接受工作者之間的關係產生變化。

格雷伯解析人類史、細心進行田野調查，並豎耳傾聽龐大工作者透過社群平台傳達過來的聲音後，藉由狗屁工作現象來分析工作對人類而言，究竟是什麼存在？

第一，人從工作中得到最重要的東西是，(1)生活所需的錢，還有(2)對世界做點正面貢獻的機會。第二，兩者存在著反向的關係。你的工作幫助、嘉惠他人越多，創造越多社會價值，你從中得到的報酬通常越少。

然而，人類挑選工作時的初始衝動理應不是這麼回事。格雷伯提出這般質疑，為我們帶來了新的觀點：

「人類的生活是身為人類的我們彼此造就的過程，就連最極端的個體主義者也是在同儕的照顧和支持下，才得以成為個體，而『經濟』說穿了只是我們供應自己必要的物質補給品的方式。」

有句英文說「Bridges to nowhere」（通往無處的橋），這句話是在暗指政府公用事業無意義地挖空預算。美國洛杉磯似乎真實存在著這座通往無處的橋，而格雷伯說：

每天早上起床，我們都重新把資本主義創造出來。假使有一天早上，我們醒來，全體決定創造別的東西，那資本主義就不存在了。會有別的東西取而代之。

在這狗屁現實之中，不知是否存在著能夠架起橋梁通往未來的方法？

可創造未來的工作

為什麼我們多數人難以在工作中找到意義？現代越來越難找到有意義的穩定工作，在這樣的時代裡，所謂的「工作」究竟代表著什麼？

《在崩壞的世界裡尋找美好生活》（*The Unsettles*）的作者馬克．桑汀（Mark Sundeen），「放棄走所謂的菁英人士之路，（中略）一邊籌集只足夠勉強過著文明生活的收入，一邊在脫離這般生活之路前進」。在尋找這般「美好生活」的路上，桑汀邂逅了三個家庭。住在美國密西根州底特律市的葛列格（Greg）與奧莉維亞（Olivia）一家人，即是其中之一。底特律市是美國汽車工程師亨利．福特（Henry Ford）掀起改革的「美國汽車產業誕生地」。該城市無比繁榮，也被形容是「民主主義的武器庫」，甚至擁有「中西部的巴黎」之稱號。然而，福特的衰落，加上二〇〇八年的雷曼兄弟金融海嘯所產生的連鎖反應，底特律市政府在二〇一三年宣告破產。

底特律市變得欠缺垃圾車、救護車等基本社會服務，也失去了大眾運輸交通工具、電力供給等基本建設，但葛列格一家人選擇留在底特律市，在被一片瀝青混凝土覆蓋的「城市」展開耕耘。一開始，他們在馬路的消防栓偷偷接上水管引水，讓飽受重金屬和化學藥品汙染的城市，一點一點地改造為農地。雖然會遇到賣大麻的人來偷走田裡的土壤，或被住在附近的人偷走辛苦栽種的蔬菜，但葛列格一家人沒有放棄耕種農作物。

桑汀一路來持續採訪葛列格一家人，他指出「在現代，『為了工作全力以赴、千辛萬苦工作』（Hard work）的行為，未必能夠與『從事好工作』（Good work）畫上等號。反而應該說，人類的所為正是為身為同胞的人類、為地球、為正義之道帶來禍害的源頭」。桑汀感到質疑，人們本是為了得到幸福而工作，卻陷入越是工作，就會帶來越多不幸的窘境，這究竟是為什麼？

當然了，並不是每個人都做得到像葛列格與奧莉維亞那樣抱持「篤信底特律的問題是全世界的問題」、「逃離崩壞的行為是造成崩壞的要因之一」的想法，而勇敢選擇留在底特律生存。鳥取縣定有堂書店的奈良先生點出一個大議題，讓我們明白了在思考未來的工作方式時，必須把焦點放在我們的工作和生活上。新冠肺炎的全球大流行，大大改變了世上的架構。事物一旦改變，就無法恢復到改變前的模樣。與其拘泥於過去的架構和工作方式，不如換個想法告訴自己我們得到了可以讓世界變得更加美好的改變機會，選項自然也就會增加。

只要伸手在書架上尋覓，就會發現比現今社會更加動盪的時代裡，有人走過更加艱辛的道路，成功開闢出未來。美國牧師馬丁・路德・金（Martin Luther King）說過：「我們必須在人生的某個過程中，學會沒有什麼比為他人付出更加偉大的道理。」雖然這句話的主人不幸在人生的過程中遭到槍殺，但《半夜的敲門聲》（*A Knock at Midnight*）一書中，收錄了金牧師告訴我們應該在自我工作中找回驕傲的話語：

> 即便各位的命運被安排當一名道路清潔員，也請像米開朗基羅在作畫般清潔道路；請像韓德爾或貝多芬在創作音樂般清潔道路；請像莎士比亞在寫詩般清潔道路。（中略）請至善至美地清潔道路，讓未來天地萬靈都會不由得停下腳步，稱讚一句：「過去這裡曾存在過偉大的道路清潔員，完美地達成了他的工作。」

實際身為專業清潔人員的新津春子，主要負責羽田機場的清潔工作，並成為促使羽田獲選為世界最乾淨機場」的功臣之一。日本清掃專家新津春子在《世界最乾淨機場的清潔人員》一書裡，提到在世人的眼中，「清潔人員的存在宛如幫傭甚至透明人」，而她「想要改變這樣的社會價值觀」。

想要改變這樣的社會價值觀，唯一辦法就是我們清潔人員必須有好的工作表現。以自己的工作為傲，徹底完成工作到自己感到滿意的程度。只要這樣堅持下去，總有一天一定會有人察覺到你的工作表現。

「這裡的廁所總是這麼乾淨，謝謝你們。我們使用時也要保持乾淨才行。」（中略）聽到有人這麼說時，真的很開心。開心的原因不是因為自己被誇獎，而是因為清潔工作確實受到認同。

最近，我在自己服務的書店裡，經常拿起一本書，它就是美國企業家葛莉絲・邦尼（Grace Bonney）的《女力當家》（*In The Company Of Women*）。在美國社會運動家瑪麗安・萊特・埃德爾曼（Marian Wright Edelman）的「你無法成為你不知道的那個人」的話語引導下，葛莉絲・邦尼寫出這本美好的書。書中採訪了為人生打開全新一扇門的一百一十二名女性，請她們分享在做自己喜歡的事或追求夢想後看見了什麼景色。這本書最具象徵之處是，不只有採訪經常會在商業書出現的白人女性，也採訪了有色人種的女性、性少數者、持有身心障礙的女性等從十九歲到九十四歲、既有個性又可愛的廣泛女性，讓這些女性以自己的話語來描述兒時即懷抱的夢想、為了資歷而做的犧牲、失去自信或陷入逆境時採取了什麼行動，以及她們所認知的成功定義。遇到必須獨自一人踏上沒有人走過的旅程時，書籍可以化為輔助步行的拐杖。

英國數學家馬庫斯．杜．索托伊（Marcus du Sautoy）在《知識盡頭的探索》（*What we cannot know*）一書中，讓我們知道就算耗盡人類的所有智慧，也不可能猜中骰子的數字。必須先擲出骰子，才可能得知會出現什麼數字。如同不可能猜中骰子的數字，我們也難以猜測未來。不過，憑靠自己的雙手創造未來，可是只有我們才做得到的人生大業。「我想依自己的想法做些什麼挑戰。可是，我不知道該怎麼做才好？」這種不安與孤獨的情緒難以言喻，但書可以帶來支持力量，而在書店工作的我能夠盡微薄之力，在店裡一本一本地親手把書遞給大家，這帶給了我喜悅。

第4章

從「金錢」的角度看世界

我最喜歡販售商品了。當某人需要某物，該物也能夠為某人帶來幫助時，商品就賣得出去。我的工作是在書店賣書。我的生活仰賴於賣書所帶來的利潤。因此，我一直認為金錢純粹是被賺取、被花費的存在，但事實上，在被花費之前，還存在另一個選項，也就是儲蓄。

我屬於在銀行存錢的立場，但如果換成在銀行工作的人，在他們的眼中，定期存款也是一種「商品」。存款、貸款、保險都是商品，金融機構靠著販售這些商品來增加利潤。只要瞧一眼銀行和壽險公司蓋在東京市區裡的大樓之壯觀，就會知道這些商品帶來多麼大的利潤。不過，說來慚愧，以前我從未想過這之間的關聯性。

重新來到書店的金融相關書籍區一看，我才發現累積財富、賺錢計畫、股票投資、信託投資、退休金等教人如何增加財富的書籍種類繁多，宛如百花齊放。拿起財經雜誌、翻，就會看見要花費好幾千萬元才能安度晚年，或是依時序幫我們計算出養育孩子需要花費多少金錢的內容。所有金融機構的雜誌或簡介上都寫著共通的內容，打著心理戰大肆宣傳晚年生活必須花費大筆金錢，所以應該提早累積財富。

然而，就算把錢存在銀行裡，二〇二一年當下的銀行利率也只有大約〇．〇一％以下。假設日本銀行實現了使物價漲幅達二％的目標，即便拚命存錢，也避免不了存款價值下跌。就算買了金額再高的壽險，也敵不過日本人的高平均壽命（根據日本厚生勞動省二〇二〇年統計，男性平均壽命為八十一・六四歲、女性平均壽命為八十七・七四歲）。不僅自己還活著時領不到壽險，等領得到壽險時，配偶和孩子也都已步入高齡。

讀了財經雜誌的專題報導內容後，總會擔憂起未來生活，產生「與其購物或去旅行，不如把錢存起來」的想法，但如果「累積財富」或「保險」是一種販售商品的話，就要另當別論了。

以《富爸爸，窮爸爸》（*Rich Dad, Poor Dad*）為首，在財富自我啟發的經典作品《只用一〇%的薪水，讓全世界的財富都聽你的》（*The Richest Man in Babylon*）中，也明確寫出致富法則。其第一法則果然是「存下收入的十分之一」。

好吧，那為什麼一定要存錢呢？原因是只要把錢存在銀行裡，就能累積利息。當中還有一種利息被形容是惡魔發明出來的複利，可施展令人難以置信的魔法。舉例來說，假設一萬元每年會增加七%，這個一萬元只需短短十年就可以增加為兩倍。針對這令人驚訝的實態，德國所孕育出來的世界級德國兒童文學家米夏埃爾・恩德（Michael Ende）接受採訪而留下的紀錄《恩德的遺言》中，有這麼一段說明：

> 假設約瑟夫在兒子耶穌誕生時，以五%的利率投資了一芬尼（一馬克的一百分之一）。然後，如果約瑟夫在一九九〇年出現，就可以從銀行領出十三億四千萬顆相當

於地球重量的黃金球。

一枚金幣在二千年後，其利息會變成多過於地球重量的黃金。如果現實世界裡真有可能發生這種事，地球將會毀滅。那麼，為什麼只要存錢，就能存到金額多得驚人的利息？話說回來，金錢的本質又是什麼？在這裡，我想回溯歷史來思考這個問題。

「利息」商人

在歷史上，幾乎所有宗教都禁止「利息」的存在。

誕生於義大利的偉大詩人但丁（Dante Alighieri），在十四世紀初創作了百詩構成的敘事詩《神曲》（*Divine Comedy*），並安排了「利息」登場來報復生前作惡的人們。但丁在古代詩人維吉爾的引路下，一層層地走過九層構造的地獄，並這麼描述收取利息的銀行家和高利貸：

> 一路所見，都是那些坐著的可憐人。
>
> 他們的眼睛裡噴出苦惱的泉水，雙手不停地揮舞，一下揮開火焰，一下撥去熱沙。（中略）
>
> 我注視其中幾人的臉，但炙熱火焰不停落下之中，我看得再仔細也認不出任何一個。不過，我察覺到一件事。
>
> 他們的胸前都掛著一只錢袋子，袋子的顏色不同，且袋上都印有不同的家族紋章。他們只望著袋子，眼裡流露出貪婪喜悅之情。

當時的義大利商人們，利用歷經十三世紀後大大擴展的國際貿易網，發明了可產生莫大利潤的金融技巧。但丁帶著自身的怨恨，看見了「不藉由勞動產生新價值，而是利用金錢的利息產生更多金錢的金融技巧」的罪惡。

另外，最傑出英國戲劇家威廉．莎士比亞透過世界戲劇史，在《威尼斯商人》（*The Merchant of Venice*）中塑造了高利貸的形象。《威尼斯商人》中，故事從貿易商安東尼奧（Antonio）為了幫助愛上富裕上流女性而苦惱的朋友，以割自己身上的一磅肉作為「投資」擔保，向放高利貸的猶太人夏洛克（Shylock）借錢的情節展開。夏洛克舉出《聖經》裡描繪的雅各（Jacob）養羊故事當例子，強調增加龐大財產的賺錢行為是上天賜予祝福的禮物。安東尼奧聽了後……

安東尼奧：雅各之所以幸而獲中，是因為他身為牧羊人長年辛勞工作，所以上天的意旨成全了他。這跟你沒有付出任何辛勞，只是等著利息自己送上門來怎能混為一談？（中略）不過，你剛剛說了那麼多，重點是不是想要證明收取利息是一件好事？還是說，你的金子、銀子就是你的公羊、母羊，自然會生出小羊來？

夏洛克：這我倒不能說。不管怎樣，金子和銀子都能像母羊生小羊一樣地快快生出利息，我是說在先生您這兒。

安東尼奧鄙視夏洛克的唯利是圖，痛罵著：「未來我還是會繼續當你是一條狗，朝你身上吐口水、用腳踢你！」夏洛克只是因為收取利息，就被不問情由地痛罵一頓。為什麼跟人借錢的一方如此強勢，借錢給人的一方反而顯得卑微呢？

細心解讀這部戲作的日本經濟學家岩井克人，在《威尼斯商人的資本論》一書中提到高利貸之所以遭人嫌棄，是因為「對具共同體性的社會來說，高利貸會是最危險的經濟行為」。岩井也指出具共同體性的社會是靠著人與人的連帶關係而得以運行。另一方面，貨幣可作為價值的衡量尺與任何物品進行等價交換，其存在等同於斬斷連帶關係的「異物」。

高利貸以貨幣本身為交易物，更以利息的形式獲取利潤，人們對於高利貸一直展現強烈的敵意，認為其存在將會瓦解以往的共同體的存在基礎。岩井提出此論點，並這麼分析貨幣之謎：

> 貨幣只要一直被儲藏著，就會是生不出任何東西的石女。這樣的貨幣只會是「不會想要追求更美好自我」的靜態存在。然而，一旦從封藏狀態得到解放，開始流通起來後，貨幣就會試圖在身為貨幣的同時，轉化為超越貨幣的存在。原因是當本身不具內在價值的物品與物品在進行交換時，貨幣儘管只是單純的媒介……不，應該說正因為是單純的媒介，所以反而不會受到特定物品的束縛，得以作為具抽象性的一般交換價值來發揮作用。（中略）也就是說，貨幣可成為人們無限欲望的對象，才會化為試圖讓自己增殖一百倍、一千倍、一萬倍，無限倍的存在。貨幣試圖無限自我增殖——也就是說，貨幣試圖化為「資本」。

金錢儘管是無機物，卻能反覆增殖，這究竟是個什麼樣的存在？岩井在探討這個謎題的《貨幣論》中，做了這樣的描述：

> 一路來很多人探討過貨幣，而多數人之所以會覺得比談戀愛更加迷惘的原因只有一個，正是「何謂貨幣」這個問題。為什麼呢？因為如果假設貨幣真的具有本質，就代表貨幣其實不具有本質。（中略）
>
> 若想要好好談論貨幣，就必須先好好回答「何謂貨幣」這個問題。

岩井的答案或許是在告訴我們，金錢是不具形體的虛構存在。

金錢的科技史

美國經濟學家大衛·伯奇（David Birch）在《比特幣在底格里斯河漂流》（*Before Babylon, Beyond Bitcoin*）一書中發出驚人之語，他表示金錢本身不是物質，而是如機器人、人工智慧般的科技。大衛．伯奇表示，「古巴比倫人所使用的金錢、我們現在所使用的金錢，以及未來會被使用的金錢都是截然不同的存在」，並把人們使用金錢的時代區分為過去、現在、未來。同時，作者也把焦點放在每一個時代的社會與科技上，從其交錯處一一探討何謂金錢。

歷史上，最早是在五千年前留下了關於金錢的紀錄。說到貨幣的起源，必須回溯到古代亞述和美索不達米亞的王國所使用的穀物銀行。作者以寫上借貸和擔保內容的「泥板」來定義金錢的起源。也就是說，金錢本來就不是一種交換價值，而是信用、負債。

接著，在兩千五百年前的利底亞（Lydia，現今的土耳其），金錢科技出現了第二次的變化。隨著硬幣的誕生，金錢急遽普及化。到了九世紀時，英格蘭的阿佛烈大帝（Alfred the Great）架構出鑄造制度，促使金錢技術更加蓬勃發展。

接下來，發生了第三次改革，也就是紙幣的誕生。紙幣誕生於現今的中國。宋朝開發出紙幣後，在金融方面具有先見之明的元世祖忽必烈，以簡單明快的方式，也就是對使用金子或銀子取代紙幣者施以酷刑的方式，促使紙幣達到普及。不過，在那之後的統治者們運用不當，使得市場流通的紙幣多過於存放在國家金庫裡的金銀珠寶，因此造成惡性通貨膨脹，最終導致紙幣制度瓦解。就這樣，紙幣技術沉入歷史大海之中，直到十七世紀才被西洋重新啟動。

一路回溯金錢技術的革新歷史後，可得知金錢的起源始於被視為對商品的信用，並隨著科技的發展，逐漸轉移為商品所有權。後來，發生了連結到現代貨幣的改革。一八七一年，西聯匯款開始提供利用電報的電子匯款，揭開這場改革的序幕。「電報」的發明意想不到地促成了讓泥板、硬幣、紙幣、支票等有形的金錢，轉換成無形的電子化金錢，也就是「位元」（bit）數據的技術改革。

伯奇更進一步地提到，以金本位制度步入終焉的一九三〇年代為起點，到一九七一年八月十五日，美國總統尼克森（Richard Milhous Nixon）正式停止美元與「黃金」的兌換，金錢與價值在這段期間完成了切割動作。也就是說，正式轉移為浮動匯率制。在這個時間點，金錢的價值不再是實質的商品所有權，而轉移為信賴。

根據《區塊鏈手冊：數位身分篇二〇一八年第一卷》（*Blockchain Handbook for Digital Identity 2018 volume 1*）的內容，二〇〇八年有個自稱是「中本聰」的人或團體所投稿的論文被公開在網路上，促成了更進一步的進化。數位貨幣的誕生架構起個人之間可進行貨幣交易的系統，讓人們可以在不攜帶紙幣或貨幣，也不以公家金融機關為媒介之下，僅憑靠電子數據進行交易。

聽到比特幣、區塊鏈、虛擬貨幣等不熟悉的字眼時，總容易產生我們身處的現在正準備邁向新時代的想法，但試著回顧金錢與科技的歷史後，才知道現代的金錢反而是回歸到其起源的

「泥板」時代的信用、負債。

事實上，伯奇也說過：「照信用論者們的說法，作為負債的金錢並非用來衡量物品價值的單位，而是用來默認衡量對他人信賴程度的單位。」「負債」憑靠信用制度或借據等信賴而得以成立，並早在五千年前就已存在，其歷史與文明一樣悠久。然而，現代的金融科技使得這個歷史悠久的負債加速發展，化身為驚人的樣貌。英國經濟史學家尼爾．佛格森（Niall Ferguson）所寫的《貨幣崛起》（*The Ascent of Money*）中有這麼一段內容：

> 二〇〇六年的世界整體GDP，合計有四十八兆六千億美元。全球股市的市值為五十兆六千億美元，比GDP多了四%。全世界的債券市場規模為六十七兆九千億美元，足足多了四〇%。名為金融的星球逐漸膨脹著，並試圖超越地球。

如同恩德心懷擔憂地以約瑟夫的比喻故事，來表達現代的經濟制度有多麼荒唐無稽，佛格森也從金融的觀點，描繪了資本遠遠大過現實世界的樣貌。

「借款」時代

「現代是一個金錢和借款的時代，後人大概會以『債務時代』來認知現代。」有位風格獨特的思想家寫出這句話。這位思想家來自「非資本主義社會」的「共產集團」所孕育出來的車臣共和國，他就是捷克經濟學家賽德拉切克（Tomáš Sedláček）。賽德拉切克寫了一本從善與惡的觀點去研討經濟學、異於主流的《善惡經濟學》（*Economics of Good and Evil*），成了暢銷書作家。賽德拉切克沒有運用數字以邏輯性去談論經濟學，而是讓知識總動員，以希臘神話、聖經、文學、哲學、宗教學、社會學、現代思想、精神分析、人文科學去深入探討經濟學的本質。深入探討的結果，賽德拉切克得到的領悟是「難以想像沒有債務和利息的現代社會」。賽德拉切克表示不論是硬幣也好，紙幣也好，金錢的價值與該物質性媒介毫無關聯，他還說：「貨幣是信用，更可以說是信仰。」這個信用的具體行為，正是為了借出金錢而有的利息。

收取利息的行為究竟有罪？還是無罪？這個問題讓人類議論了好幾千年。以邪惡看待利息的傳統始於亞里斯多德。亞里斯多德在《政治學》（*Politics*）中提到：

> 因此，高利貸當然更加可憎。因為他們的錢財來自貨幣本身，而不再是從貨幣被

製造出來的原意（交換過程）中取得。為了交換的方便，人們引用了貨幣，而利息竟可使貨幣進行增殖（這裡顯示出希臘人慣用的子息「*Tόκος*」一詞的真義。所謂「兒子必肖其親」，利息正是貨幣所生的貨幣）。由此可認知到在致富的各種方法中，貨幣確實最不合乎自然。

亞里斯多德批判，金錢的存在本是以交換為目的，增加利息並非原有目的。

另外，在宗教信仰堅定的中世紀裡，最具影響力的《神學大全》（*Summa Theologica*）的作者、教廷神學顧問多瑪斯・阿奎那（Thomas Aquinas），也在「論利息之罪」中，縱情引用聖經來傳達自身的思想。首先，阿奎那把利息之罪分為四大項，分別進行查證。

第一項　因借錢給人而收取利息是否有罪？

第二項　亦或人們可否因借錢給人而要求其他益處？

第三項　亦或人們是否應歸還因利息而取得之所有事物？

第四項　以支付利息為條件而向人借錢是否為可允許之行為？

至於阿奎那如何展開議論，首先，阿奎那列舉出聖經裡對利息抱持肯定態度的多項內容，再大刀闊斧地一一予以否決。當然了，阿奎那保留了可對貧困者或善有所貢獻的金錢運用方式，但阿奎納以具邏輯性的論點一一擊倒其他利息罪孽之俐落，讓人不禁豎起寒毛。

如同亞里斯多德和阿奎那等人的觀點，「時間原來就不屬於人類，所以不應該收取利息」也是一直受到人們批判的論點，而賽德拉切克的與眾不同之處，莫過於以獨家風格做出對時間和利息的調查。

貨幣像是能夠穿越時光旅行的能量，貨幣是非常有用的能量，同時也是非常危險的能量。不管你把這種能量放在時空連續空間中的什麼地方，不管你把這種能量種在什麼地方，那個地方都會發生大事。貨幣可以在三度空間中，以能量的形式，從事垂直旅行（有資本的人借貸給沒有資本的人），也可以從事水平的旅行（水平或地區性移動的速度與自由已經變成全球化的副產物——或動力了嗎？）但是貨幣和人不同，也可以穿越時光旅行。貨幣之所以能夠進行時光旅行，原因正是利息的存在。（中略）因為貨幣擁有這種特性，我們可以把未來的能量擠壓出來，造就現在的好處，債務可以把能量從未來轉移到現在。另一方面，儲蓄可以蓄積過去的能量，傳送到現在。

——《善惡經濟學》

賽德拉切克表示人類因為發明了利息，而得以在過去和未來雙方利用能量。事實上，我們可以透過統計GDP，來測出目前所累積的金錢能量總值。然而，如賽德拉切克所提出的質疑，如果我必須靠借錢取得財富，計算財富有什麼意義？

為什麼借錢一定要還？

近代的民族國家是在赤字性開支之下而得以運作。雖然不願意承認，但消費者負債和貸款化為引擎帶動著我們所生存的社會，這樣的結構已變得不可或缺。

在IMF（International Monetary Fund，國際貨幣基金組織）和國際社會上，「負債」也一直被視為應解決的重要課題，但狀況反而是持續惡化中。究竟為什麼會變成這樣呢？美國人類學家大衛・格雷伯認為原因之一就在於，我們沒有理解「負債」的本質。

格雷伯超過八百多頁的浩瀚著作《債的歷史》（*DEBT*），以他與某派對上結識之年輕女子的對話展開內容。女子服務於「慈善團體」，格雷伯向女子說明了其自身參與其中的全球正義運動。此運動的目標在於，一筆勾銷ＩＭＦ對低開發國家的「不合理債務」。格雷伯理所當然地認為會聽到表示贊同的意見，沒想到服務於「慈善團體」的女子給了令他吃驚的回答：

「可是……」（中略）「他們自己借了錢耶！跟人借了錢當然要還（Surely one has to pay one's debts）。」

因ＩＭＦ施壓而被迫緊縮財政之下，導致將近一萬人死亡。比起關懷失去孩子而悲嘆不已的母親，服務於「慈善團體」的女子更重視應該還款給收支不會受到什麼太大影響的「巨型銀行」。

儘管多數低開發國家早已償還借款金額的三倍到四倍金額，卻因為「複利」所施展的神奇魔法，使得幾乎每個國家甚至連本金也沒有變少。話說回來，為什麼喪失一萬條性命的事實，可以因為「借了錢」而被正當化？格雷伯深深陷入思索之中。同時，格雷伯也回溯歷史來探討女子所說的「跟人借了錢當然要還」這句話，為何能夠持有如此強大的正當性？

1. 借錢後還不還錢純粹是道德問題。

2. 任何人只要會習慣性借錢給他人，都是邪惡之舉。

回溯負債的歷史後，格雷伯發現同時存在著這兩種觀念。格雷伯更深入探討不合理的負債，為何會因為「跟人借了錢當然要還」的道德觀而被正當化。格雷伯表示，「在世俗世界裡，道德大多建立在盡到對他人的義務上，而我們具有會把這類義務看待成負債的傾向，且根深柢固」。

照理說，義務與負債應是兩碼子事，但負債的邏輯強化了義務，加上暴力和貨幣所帶來的數量化也深涉其中，導致產生道德上的混亂現象，使人們變得不容易看清事實。格雷伯這麼提出看法，並表示宗教的經濟思想，明確顯現出這進退兩難的困境。格雷伯針對宗教的經濟思想，這麼提出其雙義性：「世界宗教是對市場的怒號。然而，另一方面，世界宗教也具有以商業觀點來框架這般異議的傾向。」

聖馬太的矛盾訊息

日本作家保坂俊司在《宗教的經濟思想》一書中，介紹了德國社會學家馬克斯·韋伯（Max Weber）到訪美國時發生的幾段插曲。其中之一是韋伯搭乘長程列車時，聽到同車的旅行商人所分享的一段話：

> 對於他人，我一向凡事不執著。不過，如果對方是個沒有加入任何教會的百姓或商人，對我而言，其信用連五十分錢也不值。一個沒有任何信仰的男人，誰敢保證他會確實付錢呢？

保坂還介紹了另一段關於德裔醫生的插曲。德裔醫生告訴韋伯某病患在看診前，不知為何忽然改變語調自稱：「我是○○市的浸禮宗教會員。」德裔醫生不明白這句話與疾病或治療有任何關聯，不禁感到困惑，直到事後問了美國人醫生後，才想通原來那句話是在表達「請放心，我一定會支付醫療費」的意思。透過在美國採訪，韋伯察覺到信仰與金錢相連的事實。

賽德拉切克曾以經濟學的觀點分析過《聖經》，他說過尤其是《新約聖經》與經濟有著極深的關聯。賽德拉切克指出《新約聖經》中，與經濟、社會、財富、金錢有關的記述多達幾千行以上，當中特別是與經濟有關的內容更是每一六行就會出現一次。

實際翻開新約聖經一看，就會看見「無知財主」的比喻（路加福音第十二章）、「不義管家」的比喻（路加福音第十六章）、富有的青年官員（路加福音第十八章）、納稅問題（路加福音第二十章）等許多與金錢有關的寓言故事。不過，這些故事裡的訊息有所矛盾。

在「馬太福音」第六章裡，身為銀行家、稅吏、會計師、調香師之守護聖人的聖馬太，斬釘截鐵地說：「你們不要為自己在地上積蓄財寶。」然而，在第二十五章的「受託銀子」的比喻裡，卻說出完全相反的告誡話語。

好比一個人要出外旅行，就叫來自己的奴僕們，把他所擁有的財產交託給他們。他按照每個人自己的能力，一個給了五千兩銀子，一個給了兩千兩，一個給了一千兩，然後就出外旅行。那領了五千兩的奴僕，立刻用這些錢去做生意，另外賺了五千兩。那領了兩千兩的奴僕，也照樣另賺了兩千兩。可是，那領了一千兩的奴僕，卻出去挖地，把他主人的銀子藏起來。過了很久，那些奴僕的主人回來，與他們清算帳目。

出乎預料地，三名奴僕當中，竟是埋藏一千兩銀子的奴僕最受譴責。

「你這又惡又懶的奴僕！（中略）你就應該把我的銀子存到錢莊裡，這樣我回來的時候，可以連本帶利得回來。（中略）因為凡是有的，還要賜給他，使他豐足有餘；那沒有的，連他有的也將從他那裡被拿走。把這個無用的奴僕丟到外面的黑暗裡去！在那裡將有哀哭和切齒。」

如前述，對於以利息來累積財富，聖馬太給予了肯定的態度。在一般認定利息不存在的《古蘭經》世界裡，也描述到：

吃利息的人，要像中了魔的人一樣，瘋瘋癲癲地站起來。這是因為他們說：「買賣恰像利息。」真主准許買賣，而禁止利息。（後略）（2:275）

在那同時，《古蘭經》中也提到「誰以善債借給真主？真主將以許多倍償還他（後略）」（2:245）。

乍看下，擁有宗教信仰與賺錢行為之間，似乎找不到有任何關聯。然而，宗教當中最要求禁慾，並且對資本主義只展現出敵對態度的基督新教，卻存在著其告誡內容顯現出資本主義精神的書籍。

資本主義精神

馬克斯・韋伯以《新教倫理與資本主義精神》（*The protestant ethic and the spirit of capitalis*）一書，就社會學的角度探討資本主義精神與清教徒之間的歷史關係。這本書的核心之一，在於資本主義的誕生地。為什麼資本主義當初只在敵視營利且禁慾的新教國家誕生？韋伯深入追究這個問題。

在現實世界裡也一樣。如同華勒斯坦（Immanuel Wallerstein）在其主要著作《近代世界體系》（*The modern world-system*）所證實般，身為「霸權」國家的超級強國荷蘭、英國、美國，不僅是新教倫理較為優勢的國家，同時也是最前線的資本主義國家。

這本書描述到提倡禁慾的新教，促使可發揮無止境貪婪心的資本主義顯現出來；這部分不論反覆讀多少遍，還是讓人覺得難以理解。韋伯把焦點放在新教倫理中的派喀爾文派（Calvinism）教義「恩典揀選天選之人」，亦即預定論上，更凸顯了該內容的難以理解。針對這部分，韋伯引用一六四七年的《西敏信條》（*Westminster Confession of Faith*）做了說明。

在這裡介紹其部分內容：

第五項　這些蒙神預定得永恆生命的人，是神從創立世界以前，按照祂永恆與不變的目的，也按照祂奧祕的計畫與美意，在基督裡揀選這些人，使他們可以得到永遠的榮耀。神這樣選定他們，完全是出於神白白的恩惠與慈愛，並不是根據神預見他們的信仰、善行，也不是因為神預見他們在信仰與善行上的堅忍，或受造界其他任何事物；這些都不是神選定的條件或原因，總之這都是要使祂榮耀的恩典得著稱讚。

彌爾頓批評這個教義，駁斥表示：「哪怕會被打入地獄，我說什麼也無法對這樣的神表達敬意。」簡單來說，預定論所傳達的教義就是，神打從一開始就已決定好一個人能不能獲得拯救。人們無論做出任何行動，都無法改變當初的決定，而且必須等到最後審判時才會知道答案。

倘若真是如此，我也認同彌爾頓的批評。不過，重點是，預定論究竟是怎麼連結到資本主義？

閱讀預定論時，我不禁覺得別說是連結到資本主義，預定論甚至會讓人們想要偷懶。原因是如果以現代社會的話語來解釋預定論，意思會是「不論我再怎麼勤奮工作，能不能升遷還是取決於董事長，我的任何工作表現都無法改變其決定」。

照預定論的論調，人們的意識和努力無法產生任何價值。善行也好、卓越的工作表現也好，對鄰人展現的友愛也好，都毫無價值。我不禁感到納悶，一向敵視營利的清教徒國家人們，究竟是怎麼得到願意拚命工作的精神？韋伯的理論之所以神奇，就在於他讓預定論和資本主義之間搭起橋梁，細膩地解開了兩者之間的關聯。

「時間就是金錢」的思想

「資本主義的『精神』有著堪稱近乎古典的純粹，在那同時，也完全失去了與宗教性事物的直接關係，因此——對我們的主題而言——擁有『不加以預設』的優點」；針對這部分，韋伯舉出奧地利作家費迪南德・庫恩伯格（Ferdinand Kürnberger）所介紹的美國政治家班傑明・富蘭克林（Benjamin Franklin）訓誡話語，以作為史料。

在這裡，韋伯最先介紹了富蘭克林所說的「記住時間就是金錢」，也就是「Time is money」。

對於富蘭克林的這句訓誡，韋伯表示「把增加自我資本視為自我目的是每個人的義務」，若違背這句訓誡的「倫理」，「不僅是愚笨之舉，也是一種未善盡義務的行為」。

打從古希臘時代，人們便一代接著一代強調著時間甚為寶貴的觀念，但「時間就是金錢」明顯屬於完全不同次元的思想。怎麼說呢？因為必須有跳躍性的思考，才能把時間如此抽象的存在，變換為貨幣的概念。我們多數人都有排班表，每天以時間為單位在工作，所以或許不會覺得突兀，但在工業革命之前，工作的量化單位其實在於工作成果本身。

大衛・格雷伯在《四〇%的工作沒意義，為什麼還搶著做？論狗屁工作的出現與勞動價值的再思》中提到：

> 時間成了金錢，才有可能說出「花時間（spending time）」，而不只是「度過（passing）」時間，才有可能浪費時間（wasting time）、殺時間（killing time）、省時間（saving time）、損失時間（losing time）、跟時間賽跑（racing against time）。

格雷伯強調著這是一種很不尋常的想法，「曾經存在過的人類社會，多半沒能孕育出這種作法」。更令人驚訝的是，格雷伯告訴我們時間可以交換金錢的不尋常想法之所以產生，就是因為「時間就是金錢」這句隱喻。

美國語言學家喬治．雷可夫（George Lakoff）與美國哲學家馬克．強森（Mark A. Johnson））的共同著作《我們賴以生存的譬喻》（*Metaphors We Live By*）指出，rhetoric（修辭）和 metaphor（隱喻）滲透於我們的日常生活所有一切，而它們的存在不單純是富有詩意的詞藻，隱喻本身其實是我們平常思考或採取行動時的「概念體系」的「本質」。本書強調隱喻不是偶然發生，而是具有一貫性的體系，人們是根據此體系將自我經驗加以概念化，書中更分析出在這當中，「時間就是金錢」正是促使世界各種文化西方化的隱喻概念。

該書的日文版譯者渡部昇一，在譯者後記中提到富蘭克林是第一個斷言說出「Time is money」的人，而這句話開始散播的時間點與工業革命為同時期並不是偶然。隨著這句隱喻開始普及，Time 的相關動詞和形容詞，甚至文章結構漸漸與 money 同化，並開始左右使用這句話的人的思考及行動。

二〇三〇年的未來

在世界正陷入經濟大蕭條之中的一九三〇年冬天，英國經濟學家約翰．梅納德．凱因斯（John Maynard Keynes）發表了一篇以「孫子世代的經濟發展前景」為標題、內容獨特的論文。這篇論文預測了百年後的未來。凱因斯預測假設人類能夠成功堅守「抑制人口增加的能力、迴避戰爭與內戰的決心、持有由科學界來做決定並無不妥的問題就交由科學界去解決的意識、累積資本的速度」這四大元素，就能迎向人類史上首見的「至高幸福的經濟狀態」。

首先，凱因斯推估在一百年後，先進國家的生活水準會從當時的四倍提升到八倍。他也預測當生活水準提升到八倍後，每天只要工作三小時、一週工作一五小時便已足夠。那將會是一個經濟問題獲得解決，也從累積金錢財富的束縛中獲得自由，反而必須苦惱該如何打發閒暇時間的美夢般世界。事實上，因為技術的進步、產能的提升加上數位革命，生活水準確實如凱因斯的預測得到提升，但其他預測似乎沒什麼機會實現。我們深信經濟成長將會為人們帶來繁榮而持續努力工作，但至今仍未見到人人有份的的繁榮世界。原因究竟出在哪裡？

日本經濟思想家齊藤幸平提出論點，表示這個問題的根源在於資本主義。齊藤在《人類世的「資本論」》一書中，提到「所謂的資本主義，是一種為了使價值增殖、資本累積，而不停開拓更大市場的系統」。

世人為了經濟成長而反覆「改革架構」，結果反而使得社會更加充斥著經濟格差、貧困與緊縮。事實上，全世界最富裕的二十六位資本家，即獨占了與貧困階級三十八億人（約世界人口的一半）之總資產相同金額的財富。

這只是偶然嗎？不，應該解讀為「資本主義正是產生稀有性的體系」才對。一般來說，我們多會認為資本主義可以帶來富足寬裕，但其實是反過來的，不是嗎？

齊藤拋出了這個大問號，並強調在無限撩起欲望的資本主義下，人們別說是變得富足，反而會背起一身債。齊藤表示房貸即是最佳例子。扛起房貸的人們為了償還負債，必須長時間工作。長時間工作會導致過度生產，更會奪走從事家事和修繕的時間，使人們的日常生活變得依賴商品。資本主義會像這樣意圖性地犧牲人們的生活品質，同時持續發展，因此即使經濟成長，其恩惠也無法散布到社會的每個角落。

不僅如此，發生於現代社會的重大問題，也就是人權、氣候變遷等問題的背後，也與資本主義有所關聯。資本主義以無限經濟成長為目標而持續擴大，齊藤真心想要與其對抗，而精讀了猶太裔德國哲學家卡爾・馬克思（Karl Marx）的文章。齊藤在《大洪水之前》一書中，以「若少了生態學的觀點，將無法正確理解馬克思批判經濟學的真正目的」的論點，為馬克思的環境思想開闢出一條新的地平線，並延伸到馬克思晚年尾聲的思想。該思想捨棄了馬克思初期所持有「產能至上主義」、「進步史觀」，化為「去成長共產主義」，此主義採納了共同體的永續發展和穩態經濟的原理。所謂「去成長共產主義」，是指超越名為經濟成長的產能至上主義，也是一個重視「使用價值」的社會，仰賴於互相扶助與自治的Common（所有人的共享財產）將得以復權。我們該怎麼做，才能找回失去的Common？

名為「成長」的惡夢

任誰都希望度過幸福的人生。然而，不論再怎麼拚命工作，生活別說是變得精采，反而越活越痛苦。美國管理學家傑克・特魯特（Jack Trout）以《定位策略》（*Positioning*）一書在行銷界掀起革命，他在《大品牌大問題》（*Big Brand,Big Trouble*）中精闢分析了企業反覆失敗的原因，並做出意外的發言。「企業根本沒有說什麼也要成長的理由。不過，企業往往會有說什麼也要成長的念頭。」特魯特先是引用美國新自由主義經濟學家彌爾頓・傅利曼的這段話，接著做出不像一個行銷專家會有的發言：「成長的渴望，正是使多數企業一蹶不振的最大原因。」特魯特舉出一則可作為象徵的寓言故事：

一名美國商業人士在哥斯大黎加的小漁村，看見一名漁夫的小船停靠在碼頭上。小船上有好幾尾肥美的大黃鰭鮪魚。

美國人對肥美的鮪魚大表稱讚後，詢問哥斯大黎加漁夫迪可花了多少時間才抓到這麼多鮪魚？迪可回答：「一會兒功夫就抓到了。」美國人追問迪可為何不花多一點的時間抓更多鮪魚，迪可回答：「足夠我們一家人吃上好一陣子就好了。」

美國人又問：「那麼，剩下的時間你都在做什麼？」迪可回答：「我每天睡到自然醒，出海抓幾條魚，回來後陪孩子們玩耍，再跟老婆瑪麗亞睡個午覺，每天晚上就晃到村子裡喝點葡萄酒，跟朋友們彈彈吉他，我每天要做的事情可多了，其實挺忙碌的呢！」

美國人嘲笑說：「我是在華爾街上班的高階主管，我可以祝你一臂之力。你應該每天多花一些時間去抓魚，到時候就有錢去買艘大一點的船，還可以在網路上做行銷。只要擬好成長計畫，設法取得更多資金，就可以買更多艘新的漁船。不久後，你就可以擁有一支漁船隊。到時候你不必把魚賣給中間商，而是直接賣給加工廠。早晚有一天你還可以擁有自己的加工廠。可以自己掌控商品的管理、加工、物流。然後，你可以離開這個小漁村，搬到哥斯大黎加的首都聖荷西去住，最後甚至可以搬到洛杉磯或紐約去住。你還可以統合從捕魚到販售的一連串作業，把規模擴大的企業外包給第三者去經營。」

漁夫迪可詢問：「要花多久時間才能變成那樣呢？」「十五年到二十年左右。」「然後要怎麼做呢？」美國人大笑說：「接下來就是重頭戲了！等時機一到，就可以宣布股票上市，開始賣公司的股票，到時候你就是大富翁了！你可以賺到好幾百萬美元呢！」「這樣啊，可以賺到好幾百萬美元啊。然後要怎麼做呢？」「到時候你就可以退休搬到小漁村去住，每天睡到自然醒，出海抓幾條魚，回來後陪孩子們玩耍，再跟老婆睡個午覺，每天晚上就晃到村子裡喝點葡萄酒，跟朋友們彈彈吉他啊！」

這則有名的寓言故事有多種換了不同職業或設定的版本，但每種版本都有一個共同點，也就是漁夫一開始就很幸福的事實。即便照著分析師的建議展開事業，也沒有人知道能不能成功。假設真的成功了，若是少了「然後要怎麼做」，工作甚至會變得沒有意義，這對現代社會而言，無疑是痛切的諷刺。

金錢能買到什麼？

二〇一五年，希臘陷入金融危機時，財政部長雅尼斯．瓦魯法克斯（Yanis Varoufakis）在《爸爸寄來的經濟學情書：一個父親對女兒訴說的資本主義憂鬱簡史》（*Talking to My Daughter About the Economy*）中提到，「經濟並不像大自然一樣，它其實很容易受影響、受到打擊，也會因為我們的想法而改變」，敲響警鐘告訴世人我們的思維將會改變我們的未來。

> 如果大家一開始就知道會有盡頭，貨幣經濟便無法永續發展。貨幣經濟能否永續發展，一切都要看人們相不相信它能永續發展下去。如同伊底帕斯的神話，光是預想未來會崩跌，經濟就真的會崩跌。

依瓦魯法克斯的說法，經濟學是「充滿公式的神學」，而經濟學家簡直就像「古時候的占卜師」。瓦魯法克斯表示正因為如此，「把經濟留給專家，等同於那群住在中古世紀的人，把自己的命運委託給神學家、教會、異端審判官沒兩樣。這是一個可怕的想法」。事實上，經濟學始祖亞當·史密斯即是一位道德哲學的教授，而道德哲學本是神學的一部分。如果真如瓦魯法克斯所說，經濟就像在占卜一樣會隨著我們的思維而改變，那麼即便歷盡千辛萬苦成為頂尖企業的職員，致力於累積財富和投資，說得極端一點，放在銀行裡的存款也有可能化為泡影。

美國經濟學家約翰·K·高伯瑞（John K.Galbraith）也實際在《金融狂熱簡史》（*A Short History of Financial Euphoria*）一書中，探討過為何投資家能夠在價格暴跌那一天到來之前，一直相信「只有自己」是賢者？為了探索這個謎題，高伯瑞具體分析了過往幾世紀來發生過的投機事件。回顧投機歷史後，高伯瑞指出「所有投機事件的共同點在於，持有世上出現了新事物的想法」。高伯瑞描述到：「當社會大眾把想像力投射在某些看來像是商業與金融領域的創新事物時，投機活動馬上就會出現。豔麗繽紛的鬱金香是最早用作投機的對象之一。」

以「鬱金香熱」之名烙印在歷史上的這起投機事件，爆發於十七世紀初的荷蘭。鬱金香的美麗外表及稀有性，使得其價格持續上漲，引來人們爭先恐後想要投資的行動。鬱金香的價格因此一路飆漲，漲到可用來交換「一輛新馬車、兩匹灰馬，以及一套完整馬具」的程度。價格每上漲一次，就會有更多人加入投資，人們都以為價格會無上限地持續上漲，沒料到突然間就來到了終點。鬱金香的價格暴跌，一夕之間變得一無所有或破產的人一個接著一個出現，荷蘭的經濟因此受到嚴重的打擊。

另外，榮獲諾貝爾文學獎的美國作家約翰．史坦貝克（John Steinbeck）在《憤怒的葡萄》（*The Grapes of Wrath*）中，描寫了因天災和泡沫經濟破滅而陷入大恐慌的一場美國狂熱事件。書中描繪出無藥可救的人們在資本主義的愚弄下，被迫離開自己的土地，被欺騙、毆打，最後活活餓死的可悲模樣。

> 肥沃的土地上，堅實的果樹排列得井然有序，並結出成熟的果實。可是，就算種出橘子也不會帶來利潤，所以孩子們一個接著一個罹患糙皮病而死去。在強制要求廢棄食物的制度下，驗屍官被迫只能在死因的欄位填上「營養不良致死」。

為了抬高水果的價格，成堆的橘子被撒上汽油燒毀。咖啡被當成船隻的燃料使用，玉蜀黍被當成了暖爐的薪柴。豬隻被殺了埋起來，可當成食物的馬鈴薯被丟到了河裡。為了讓這個愚蠢至極的制度得以運作，最後導致搞不好有機會獲救的百萬人活活餓死。

這個故事並沒有隨著小說落幕，因為生存在現代的我們自身的日常生活，也面臨著相同的問題。以龐克搖滾的觀點長期投資的日本網路作家山崎 OK 電腦，透過其著作《搞不好可能改變無趣未來的投資話題》告訴了我們這個事實。作者指出，「社會分化是金錢結構下的副產物，跟災害沒什麼兩樣」，並將現代社會的重大問題比喻成兩條惡龍「分化」與「汙染」，來描繪寓言故事。

第一條龍「分化」的誕生與農耕有著極深的關聯。多出來的小麥堆高如山，並生出了貨幣，人們因此學會儲蓄和借款，促使「分化」變得堅如磐石。於是，「分化」把人們一刀劃分為富翁和窮人，並持續煽動慫恿人們，讓雙方起爭執，或是讓人餓死、逼人走上絕路自盡、掀起戰爭。

不僅如此，「分化」還使用了大量石灰，促進人類的工作機械化。在這之下，熊熊燃燒的石灰生出了第二條龍「汙染」。從巨大的石灰火焰之中誕生的「汙染」，是一條擁有「熱汙染」、「風汙染」、「水汙染」、「土汙染」、「核汙染」的多頭龍，大展身手地發揮污染環境的威力。

作者特別強調了一點，也就是這兩條龍都不具有自我意識。促使這兩條巨龍誕生的不是別人，正是人類自身，而這兩大巨惡的根源與結構性儲存財富，也就是所謂「金錢」的本質有著關聯。也就是說，我們必須好好面對的問題不是其他什麼，而是究竟何謂金錢？

找回自己的人生

一路來，學校的老師也好，公司的主管也好，經常會提醒我：「要自己動腦思考。」然而，日本哲學家野矢茂樹的《每次都要像第一次思考》讓我知道這句話有兩點錯誤。

野矢做了整理表示，首先，「思考」不是用腦袋進行，而是靠手或在紙上思考。野矢接著又說，思考不是獨自一人進行，而在於「與他人的邂逅」。基本上，「自己動腦思考」多會被解讀為不受他人影響而確實持有自己的意見，但野矢指出「確實持有意見」與「思考」完全是「兩碼子事」。

如果沒有語言，人們將無法進行思考。語言並非獨自一人所能創造，而是由需要交流溝通的群體，在歷史的長河中逐漸架構，並持續創造。這麼一來，就表示只要使用語言，自然會受到自己以外的其他人們的壓倒性影響力。

另外，只有新的語言才能開拓新的可能，而這些新的語言，也都是來自於他人。從呱呱墜地至今，我們一直向他人學習語言，直到現在仍持續向他人學習語言。

（中略）

我們受到無形框架的束縛。如果少了無數的無形框架，我們將無法生活。（中略）不過，思考也等於是在對抗這些無形框架的力量，而對抗無形的敵人，這是一件非常困難的事。

野矢認為我們不是用腦，而是用「語言」在思考，只要仔細觀察「語言」，就會發現其中藏著「無形框架」。「與他人的邂逅」能夠帶來讓這無形框架變得可視化的力量，而想要打開這封閉的世界，必須仰賴「全新的語言」。我們應該怎麼做才能得到「全新的語言」，來打開「金錢」所築起的封閉世界？

金錢最初是從負債的無形概念之中開始發展。在得到名為貨幣的肉體，再連結上名為利息的魔法後，大幅擴大了其活動範圍。更進一步與宗教連結，建立屹立不搖的地位後，金錢更與「時間」連結，展開改革世界之路。

大衛．伯奇從金錢的起源一路探討到未來的歷史後，告訴了我們金錢並非物質，而是科技的事實。格雷伯細心解開金錢根源的負債歷史，並讓我們得知負債的概念之強，足以讓服務於慈善團體的女性，認為償還債務比將近一萬名孩子的性命來得重要的事實。賽德拉切克出動所有人文知識，查出利息的本質會搶先於包含未來的所有一切。那畫面簡直就像在玩搶椅子遊戲，大家配合音樂開始繞著椅子走路，但當音樂突然停下而搶著要坐上椅子時，總會少一張椅子。賽德拉切克在「成長資本主義危機與第三杯啤酒的問題」一文中這麼寫到：

想像有三個人坐在一張桌子上，但桌上只有兩杯啤酒，我們要怎麼公平分配啤酒呢？最窮、最富的人或女士不該有啤酒嗎？有酒癮的人應該優先得到啤酒嗎？一輩子裡從來沒有喝過啤酒的人應該優先嗎？酒廠或酒館老闆應該優先嗎？這些都是複雜的經濟與哲學問題。（中略）

我們已經用神奇的方法，在桌子上變出第三杯啤酒，解決了這個複雜的問題。問題一解決，每一個人都端起一杯啤酒，就這樣而已。（中略）

在這個難題中的第三杯啤酒象徵經濟成長。我們目前的問題是：第三杯啤酒並沒有憑空出現——經濟根本沒有成長。因此我們在邏輯上，必須回歸我們利用經濟成長「已經解決掉」的哲學問題。

——《善惡經濟學》

這就是我們此刻面臨的狀況。當然了，我們必須面對的難題不只有經濟成長。日本繪本作家五味太郎在《購物繪本》中，以「金錢能買到什麼？」為主題來描繪故事。

金錢能買到「不用為金錢操心的生活」。

金錢也能買到「不用花錢的生活」。

金錢也能刻意買到「樸實的生活」。

也就是說，我們能買到「不自然的生活」。

假設商品是能以金錢來測量的東西，就代表我們將能利用金錢買到與自身人生相關的大半事物。我們花錢買糖果而買來蛀牙，為了治療蛀牙也一樣是花錢支付治療費。

商品必有其價格。然而，對於商品是如何被定出價格，我們無法掌握一切。該商品由什麼人生產、從哪裡運來，最終來到我們的眼前？為了親手找回自己的人生，我決定從自身開始實踐，好好掌握自己每天在什麼地方花了錢包裡的小錢、向誰買了什麼？以及把自己的金錢託付給了誰？

所謂的經濟學，指的不是增加金錢的學問。諾貝爾經濟學獎得主阿比吉特・V・班納吉（Abhijit V. Banerjee）與艾絲特・杜芙洛（Esther Duflo）的共同著作《艱困時代的經濟學思考》

（*Good Economics for Hard Times*）讓我們知道「好的經濟學」是希望的燭光，可以幫助我們接近「創造更有人情味之世界的目標」，而「希望是促使人們往前邁進的動力」。究竟需要什麼，才能不讓我們每個人的人生白白消費、白白犧牲，可以抱持肯定的態度持續點燃希望的燭光？為了敲破無形的框架，開闢出新的可能性，我能做到的事情並不多，但我將持續在每天不斷更新的書架上，為大家介紹「全新的語言」。

第5章

享受「好吃」的樂趣

小時候，我最愛吃美食了。小學時只要生日一到，我就會向母親撒嬌，讓母親幫我買滿滿購物車的杯麵。升上國中後，這回換成在麥當勞買托盤上堆高如山的薯條，以及堆成像金字塔的漢堡，然後堆起滿臉的笑容。

升上高中有了閱讀習慣後，我得知食物除了享受大分量之外，還可以有其他的樂趣。一開始我不知道該從哪本書閱讀起，於是就依圖書館書架的排序開始依序閱讀，很快地，就在第二排序的書籍中邂逅了日本小說家池波正太郎的《男人本味》，並得知蕎麥麵的品嚐法，以及上壽司店時該怎麼點餐。

開始人生第一份打工後，我學會挑選自己想吃的東西，於是在讀了開高健的美食小說《新天體》後，直奔大阪的關東煮店「蛸梅」，親自走了一趟山口瞳的《經常光顧的店家》。因為書上沒有註明料理的價位，我不確定自己打工賺來的錢付不付得起，總要鼓起勇氣才敢推開店家的門。沒想到即便看似高不可攀的出名老店，午餐價位也是相當親民，所以在那之後，每次出遠門時，我都會閱讀文豪的美食散文，享受在各地品嚐美食的樂趣。

就讀大學後我搬到了東京生活，我一家不漏地到訪 JR 中央線沿線的二手書店，並邂逅了「二手書酒館 Cocktail」，我的讀書人生也因此掀起革命。只要去到 Cocktail，就能以「文人料理」的形式，實際品嚐到文學作品中所描繪的料理。若想知道食譜，也可以閱讀《文人料理入門》。我在Cocktail品嚐到了日本散文家武田百合子的蒜炒茄子、日本小說家檀一雄的大正可樂餅，還有日本作家宇野千代的極道壽喜燒。後來，我經常光顧Cocktail，也得知書籍並非只能用來閱讀，也能從品嚐料理去展開，拓展了自己的讀書領域。

百年來的日本家庭料理

一九一七年，有本雜誌創刊，使得「主婦」這個用詞滲透社會。這本雜誌就是在二〇〇八年休刊的《主婦之友》。撰寫其百年歷史的《日本主婦的百年餐桌》中，提到日本是在經歷高度經濟成長期後，才演變成現在這樣每天、每餐烹煮不同料理。在那之前，一般家庭的餐桌上只會出現一菜一湯，或時而多加一道菜。

說到昭和初期，就會覺得是個一路面臨經濟大蕭條、九一八事變、二二六事件與戰爭的時代，但相反地，廚房卻是越來越有活力。

從一九二六年到一九三五年，上班族人數急遽增加，《主婦之友》也突破百萬本的銷售量。越來越多家庭把廚房從德川時代的蹲著煮飯形式，改造成像現代一樣站著煮飯的形式。

到了被形容是高度經濟成長期的一九五二年到一九七三年，在韓戰所帶來的特殊採購需求下，原本因戰敗而陷入窘境的日本獲得急速成長。「家庭主婦」一詞也是在這個時期誕生。日本人原本習慣衣服穿了好幾天也不換，在這時期開始每天會換上洗好的乾淨衣服、每天烹煮不一樣的餐點菜色。這個時代所誕生的料理，正是我們所熟知的「家庭料理」。

說到家庭料理，原本是在二戰後，由國家主導下展開。當初政府發起改善國民營養狀況的運動，衛生所等處積極呼籲民眾「多吃肉類、乳酪」、「多用油炒菜」，但家庭主婦們並不熟悉肉類、乳製品和油品，根本不知道該如何用於烹飪。這時，主婦雜誌以及教人如何烹飪西餐的電視節目，替主婦們解決了煩惱。

昭和三〇年代（一九五五年到一九六四年）也是電視的創始期，日本電視台的「太太們的料理筆記」以及ＮＨＫ的招牌烹飪節目「今日的料理」的雛型也都是誕生於這個時代。就這樣，專業烹飪技巧藉由電視被帶進了家庭。岸朝子等元老級的日本美食記者，著手製作出「人人都能煮出相同滋味的料理食譜」，使得費工費時的家庭料理逐漸變得普遍。

此外，一九五五年也是東芝推出日本首見自動電鍋而掀起家電改革的一年，人民的生活形式也大大改變。一九五六年的經濟白皮書記載著「日本已脫離『戰後』」的內容，「三大神器」（黑白電視、洗衣機、冰箱）開始普及於家庭。諷刺的是，具革新性的家電被引進家庭後，女性的家事時間並未因此減少。做起家事變得輕鬆的另一面，相對增加了家庭主婦們的新工作。其中之一就是費工費時的家庭料理。女性不惜花費時間做家事被視為是一種愛的表現，並且會受到讚揚的現象，也是這個時代的特徵。雜誌和電視反覆強調著願意花費心思和時間才是母愛的表現，一九七〇年代，主婦雜誌的黃金時期到來。家庭料理應有的樣貌，被塑造成必須每天準備不同菜色，而且要有三菜一湯。

省時料理革命

不久後，開始出現對抗這般時代趨勢的料理研究家。一九六八年，由日本出版社 Kappa books 出版、銷售量達二十二萬本的暢銷書《家事祕笈：偷懶也不會被發現的 400 訣竅》（作者犬養智子）成為先驅者。便利廚房、豐富食材、一年比一年豐裕的社會之中，「主婦的工作即是負責照料家人」的專業主婦意識持續提升，但犬養智子主張「家事是為了讓家人過舒適生活的手段而非妳的人生目的」，為有苦不敢言的家庭主婦站出來出聲。

此外，日本作家桐島洋子也從不同的觀點，在一九七六年出版的《聰明女性都能燒得一手好菜》中，先表達「女人的自立始於廚房的自立」，接著又說：

世上有不少人深信越是費工費時，就表示越用心。而且，這些人特別執著於傳統做法和步驟，聽到合理化或省力化就會皺起眉頭。當這些挑剔講究的前輩在訓話時，其內容絕對有所助益，但如果一一買單，有可能會產生「原來做菜這麼麻煩」的心態，一開始就陷入意志消沉。

桐島儘管不忘向先進表達敬意，但還是提出袒護主婦的意見，表示做菜不該是一件會煩人的事。

從費工費時的愛心料理轉變為省時料理的關鍵契機在於，料理研究家小林勝代斬釘截鐵說出的一句話：「不費工的料理也一樣美味。」在把親手做菜視為理所當然的時代裡，小林篤定表示買來炸好的豬排做成豬排蓋飯也是家庭料理，改變了時代的潮流。直到離世前，小林一直持續積極參與活動，生涯共構思出超過一萬道食譜，也留下超過二百三十本烹飪書。一九九四年八月二六日，小林參加日本富士電視台的節目「鐵人之料理」時，以其代表作之一的「馬鈴薯燉肉」成功擊敗中華鐵人陳建一，成為轟動一時的人物。不過，小林勝代真正對抗的對象既不是食譜的數量多寡，也不是料理鐵人，而是高度經濟成長所帶來的「家庭料理」的思想。

小林在《飲食思想》一書中，批判高度經濟成長期所形成的家庭料理背景，她提到：「『家庭料理』這個用詞會讓我有種想甩也甩不開的感覺。這個用詞明顯強調著家庭＝主婦＝負責做菜的人。」

同時，隨著時代變遷，家庭料理本身也逐漸改變。烹飪書的暢銷如實呈現出這個事實。與小林勝代被形容是家庭料理兩大巨頭的天才主婦栗原晴美，在《為了聽你說一聲「多謝款待」》中，構思出適合平成雙薪家庭時代的食譜，銷售量突破百萬本。

進入平成時代後，這回換成會做菜的年輕男性受到矚目。因日本富士電視台節目《SMAP x SMAP》而大賣的明星烹飪書《在家輕鬆煮！Bistro SMAP》，以及男演員執筆的《速水茂虎道想與妳共享美味的五十道食譜》等明星烹飪書創造出了新時代。在那同時，健太郎、栗原心平、高賢哲等料理研究家也成為焦點人物。

除此之外，以中年男子為主人翁、獨自一人默默用餐的冷硬派美食漫畫《孤獨美食家》、足以象徵社群平台時代的人氣部落客山本YURI的烹飪書《春魂：咖啡廳餐點》系列，還有以IG美食照或減醣為主題的烹飪書等烹飪相關的暢銷書，隨著時代的變遷不斷迅速改變。

到了二〇一六年，日本料理研究家土井善晴的《一湯一菜的生活美學》，以及在同年榮獲日本料理食譜大賞的《冰箱常備菜：週末只花二．五小時搞定一週三餐、便當、點心！》掀起時代的潮流。作者nozomi在身處雙薪家庭、從事全職的系統工程師工作之下，展開週末一次搞定一週三餐的生活模式。Nozomi紀錄該食譜的部落格「つくおき（常備菜）」，以同樣是雙薪家庭為中心受到廣大網友的支持，一躍成為焦點人物。

這樣的趨勢持續加速，到了二〇一九年，《世界第一美味の懶人料理法一百道》榮獲日本料理食譜大賞。「迅速且有效率地完成家事」已成為現代的標準模式。此外，《煮飯好痛苦》也在同年榮獲日本料理食譜大賞的散文部門大獎，這本書提出了一個本質性的問題——為什麼女人要煮飯？

另外，日本經濟評論家勝間和代在《勝間式超邏輯料理》一書中，大膽提出「料理越費工越難吃」的意見。洗衣交給洗衣機、風乾交給烘乾機、打掃交給吸塵器；在科技進化的現代，家事明明可以像這樣透過自動化來大幅減少工作負擔，究竟為什麼偏偏只有烹飪不見科技潮流的到來？勝間提出這般質疑，並公開其食譜，表示只要放棄使用鐵鍋和平底鍋，改為使用「自動調理鍋」，家庭就會變得更加幸福美滿。

雖然「家庭料理」只是各類型料理當中的一種，但其系譜龐大，並與每一個時代當下的人們和社會相互連繫。

農耕也是一種飲食文化

如同古羅馬詩人維吉爾（Vergil）認為農耕是一種料理型態，依各地區、文化、歷史的不同，想法或構思也會有不同的次元。歷史的深度就不用說了，飲食文化與構成飲食背景的社會之間的關係更是不可或缺的要素，好比說，在某文化中被視為「香噴噴」的食物，有可能放到其他文化時，就會變成光是用想的就覺得可怕的東西，或是依宗教不同，食物會有可吃與不可吃的分類。

說起來，飲食與戰爭有著密不可分的關係。動物會為了爭奪食物而互相殘殺。說來理所當然，不論肉類也好，蔬菜也好，食物原本都是活生生的生物。生物會互相爭奪能量，好讓自己存活下去。人類亦是如此。

根據日本環境省*所公布二〇一八年度的「我國食品廢棄物及食品損失之產生量估算值」，明明還可以吃卻被丟棄的食品約為六百萬噸，這數值龐大得超乎想像。儘管日本是一個

＊環境省為日本行政機關之一，相當於台灣的環境保護署。

食物如此豐足的國家，根據日本厚生勞動省，二〇一八年度的人口動態調查結果，還是有十五名男性、七名女性因缺乏食物而死亡，可見至今仍未解決飢餓問題。二〇〇七年七月，新聞報導出某男性因被取消生活補助金，最後留下一句「我想吃飯糰」而死去，該事件所帶來衝擊教人至今難忘。

不僅飢餓問題，足以動搖國家命運的災荒問題一樣還沒有獲得解決。現在，非洲正受到氣候變遷的影響，沙漠蝗蟲大量湧現，引起前所未有、彷彿舊約聖經裡的「蝗災」重現般的大饑荒。

從巨觀到微觀，飲食的主題涉及層面廣大，若想要一一探究，恐怕沒那麼容易。不過，或許可以從我們每天圍坐的餐桌上，去思考對人類而言，用餐的意義何在？餐點「美味」的意義何在？

不會做菜的現代人

以美食家聞名，也是《美味的饗宴》（*Physiologie du Goût*）的作者、法國美食家薩瓦蘭

（Jean Anthelme Brillat-Savarin），說過一句名言：「告訴我你吃什麼，我就知道你是怎麼樣的人。」美國料理家凱瑟琳．弗林（Kathleen Flinn）拿出購物推車來比喻，把這句名言漂亮地轉換成「超市的購物推車裡裝著滿滿的人生」。

弗林看見一位母親淨是挑選盒裝加工食品、冷凍食品和罐頭往購物推車裡放，於是跟著那位母親在超市裡繞來繞去。後來，弗林大膽地向素未謀面的那位母親搭訕，並試圖傳授烹飪方法。弗林告訴對方只要仔細安排菜色，並學會自己處理食材，有時使用一般認為昂貴的有機食材反而會比較划算，更重要的是可以吃得健康。為什麼弗林要如此多管閒事呢？

以前，弗林曾經突然遭到公司解僱而失業。弗林在《巴黎藍帶廚藝學校日記》（*The Sharper Your Knife, The Less You Cry*）中描述到她因為失去工作而沮喪不已時，男友讓她想起了就快遺忘的夢想。「假如妳可以做任何事，妳會想怎麼度過這輩子？」男友這麼詢問後，弗林回答：「我心裡藏著一個夢想，我想要在倫敦工作個兩年後，辭掉工作到巴黎的藍帶學習法國料理。」

男友在背後推了一把後，弗林下定決心前往世界首屈一指的巴黎藍帶廚藝學校接受挑戰。後來，弗林度過重重難關，順利通過巴黎藍帶廚藝學校的畢業考。料理改變了弗林的人生，她抱著一顆報恩的心開起廚藝教室，以傳授廚藝給因為不會做菜而苦惱的女性們。《改變廢女人生的奇蹟廚藝教室》（*The kitchen counter cooking school*）紀錄了其奮鬥過程。說自己與父母有共同回憶的味道就是「麥當勞」的女性、不小心害得孩子營養不良的貴婦；弗林只花了短短半年的時間，就讓這些原本不敢拿菜刀也害怕烹飪的大人們，可以勇敢站在廚房做菜。

讀著讀著，我不由得也想做菜看看，於是有樣學樣地進了廚房。以前我自己一個人住的時候，在超市裡會把哪些東西放進購物推車呢？米、納豆、雞蛋、鮪魚罐頭、番茄罐頭、日清雞湯拉麵、豆芽菜、乾燥麵條、生麵條、即食食品、吐司、乳酪和泡芙。當時的挑選基準就是，不需要使用到菜刀、可以馬上就吃的食物。以前的我毫無烹飪的概念，只知道盡可能挑選便宜又簡單，很快就能填飽肚子的東西。除此之外，沒有更多的要求。閱讀了這本書後，讓我最驚訝的是我自己，我心中燃起了搞不好我這種人也能學會做菜的希望。

學校的烹飪教室

讀了弗林的作品後，我也起了想要做菜看看的念頭，所以動不動就會到烹飪書籍區晃一晃。在那裡，我邂逅了一本封面照片上插著寫了「希望饅頭」字樣的旗子、標題為《自由學園的最美味料理》的食譜集。閱讀後，我驚訝地發現六百人份的學校營養午餐製作被視為課程的一部分，全部由學生們自己親手製作。

自由學園是日本新聞記者羽仁元子、吉一夫婦在大正時代＊所創辦的傳統學校。創辦學校之際，羽仁元子抱著「不想讓正值發育期的孩子們吃冷便當，而是吃熱騰騰的午餐」的想法，把學校的烹飪課時間改成烹煮自己的午餐。學生們每天烹煮午餐被視為家政課的一部分，並且持續實施了將近百年的事實深深觸動人心。學生們每天從以柴刀砍木柴的動作開始做起，並使用傳統的磚灶炊飯。大家會在田裡栽種農作物，豬肉也是自己養豬再交由屠宰業者分切。

炊飯的動作可說相當驚險刺激，畢竟萬一失敗了，就會燒焦一鍋足足有兩百人份的米飯。正因為餐點都是同坐一張餐桌的學生們自己烹煮出來的，所以即使吃到燒焦的白飯，也不會有任何人埋怨，反倒是失敗時所留下的記憶更為鮮明。即使失敗了，只要腦中浮現其背景，也就是與烹煮者之間的關係以及付出過的努力，就連苦澀的滋味也會化為刻在記憶裡的美味料理。

我不禁思考起來，如果說「好吃」的基準不在於料理的滋味，那麼，人們究竟是在表達什麼東

＊大正為日本天皇大正在位期間所使用的年號，從一九一二年使用至一九二六年。

西好吃呢？

舌頭的味覺是一種分子碰觸到味蕾而引起的單純化學現象。食品科學的研究者或製造者能夠驅使科學技術，讓人們覺得食品的味道好吃。我愛吃的即食食品和麥當勞，都是從二十世紀的科學中誕生出來的技術結晶。然而，我們平常與朋友、情人、家人或獨自出遊時，會用來尋找「好吃」店家的美食指南裡，不會有麥當勞的介紹。那麼，我們究竟是在表達、探究什麼東西好吃呢？

「好吃」的基準

日本飲食思想家也是歷史學者的藤原辰史在《吃的意義何在？》中，與國高中生一起針對飲食認真做了討論。書中一開頭，藤原這麼詢問八名參加者：

「大家以前吃過的東西當中，什麼東西最好吃？」

藤原辰史提到他在大學課堂上講解飲食歷史時，也經常會問學生這個問題。至於為什麼會提出這個感覺上每個人都能很快回答出來的問題，藤原列出了四大原因。

1. 因為「好吃」是某事物的基準。如果無法以自己的話語表達基準的定義，就會回答不了這個問題。
2. 純粹因為用餐的次數太多，所以不容易選擇（以一天三餐、二十年來計算的話，用餐次數會是兩萬一千九百次）。
3. 因為本來就很難單純去解釋餐點好吃的原因。
4. 因為是在大家面前，同時也會公開姓名之下發表意見，所以會變得謹慎。也就是說，這個問題乍看下看似簡單，實際上沒那麼好應付。

藤原把一路實施過來的學生們答案做了統計後，分析出「好吃的東西」有三項特徵，分別是「媽媽的味道」、「特定的『店家』」和「狀況依賴型」。雖然「媽媽的味道」當中也包含了「奶奶」的版本，但答案當中以「媽媽」出現的次數為多。

「特定的『店家』」這部分以拉麵店居多，或是旅行中與家人一起去過的店家等等，學生們會選出留在記憶裡的店家。

所謂的「狀況依賴型」，是指明明不是特別的食物，卻能強烈感受到味道的食物。比方說，爬山時在山頂上吃到的飯糰等。

我一邊閱讀這本書，也一邊思考了「以前吃過的東西當中什麼最好吃」，答案是祖母的玉子燒。雖然不管是去蕎麥麵店、簡餐店或居酒屋，只要菜單裡有玉子燒，我都會點來吃，但對我來說，祖母做的玉子燒格外美味。我特別愛吃美乃滋，從小就喜歡什麼東西都淋上美乃滋來吃。祖母看見我那麼愛吃美乃滋，就做了每一層都淋上美乃滋的玉子燒給我吃。雖然只是這麼簡單的一道料理，但到現在光是吃到包了美乃滋、鬆鬆軟軟的玉子燒，還是會讓我覺得自己好幸福。

藤原辰史的發問讓我們明白了一個事實，我們心中的「好吃」不是靠化學調配出來的味道，而是他人和記憶層層相扣所形成的網絡。

人類的五種味覺

另一方面，速食，或是利用化學調味料讓我們就像被啟動反射動作的按鈕般，吃到第一口就覺得好吃的料理橫行天下。對於利用化學控制出來的美味，很多人抱持不信任的態度。以《英國一家，喫在日本》（*Sushi & Beyond: What the Japanese Know About Cooking*）一書，鞏固異鄉人食紀行之江山的麥克・布斯（Michael Booth），在該書續集《英國一家，繼續喫在日本》中充分展現幽默，突擊採訪了MSG世界產量第一、等同鮮味代名詞的「味之素」。所謂MSG，即是食品添加劑中讓人們戒心特別重的麩胺酸鈉（味精）。

二〇〇〇年，美國邁阿密大學的研究團隊發表了「鮮味受體」的研究成果。自此之後，科學家之間開始認知人類的第五味覺「鮮味」為基本味覺之一，但這樣的認知並沒有在國外的料理家之間擴散開來。

不過，日本早在一九〇八年已發現鮮味的存在。化學家池田菊苗發現乾燥昆布的表面會形成白色結晶，而且味道與甜味、鹹味、苦味、酸味皆不同。白色結晶散發出麩胺酸的獨特香氣，池田將其命名為「鮮味」。在日本，昆布自古就被用來熬製高湯，作為食材已有長達二千年的歷史。

當我們回溯歷史時，就會知道一路來，人類的五種味覺，也就是甜、酸、苦、鹹、鮮會指引人類攝取生存所需的營養，或避免攝取到危險食物。甜味讓人類得知糖分充足、可帶來能量的食品。食物腐爛時會帶有酸味。毒性植物當中，多數都帶有苦味。酸味和苦味會在人類吞下不可進食的食物之前，提醒人類要小心謹慎。鹽分是人類活命的必需品，而人類最早進食的食物——母乳當中富含鮮味。

也就是說，我們不是單純為了想吃美味，而尋求好吃的食物，我們是為了有更好的生存，而一路探求「好吃」。好吃是幫助人類順利走完人生的地圖，而人類在五種味覺的指引下而得以進化。

猴子當初吃了什麼而變成「人類」？

不論好吃與否，人類為了生存都必須進食。如果沒有持續進食，就活不了命。世上沒有任何人能夠逃過這項限制。

根據推測，人類的祖先原本生活在非洲大陸的熱帶雨林。然而，氣候變遷使得熱帶雨林縮小，我們的祖先因此慢慢被推向疏林、推向草原。有別於黑猩猩、大猩猩留在食物豐富的森林裡生活，類人猿必須在嚴酷的環境下生活，牠們是在什麼契機下，進化成「人類」呢？

有人說這個問題的答案既不是因為製作工具，也不是狩獵、肉食或語言，而是「學會用火以及發明烹飪」。這個人就是在《星火燎原》（*Catching Fire: How Cooking Made Us Human*）一書中提出「烹飪說」的理查德・蘭厄姆（*Richard Wrangham*）。

人類除外的靈長類幾乎都會當場吃下食物。為什麼呢？因為吃了「生食」，所以要花上一段時間才能消化吸收。蘭厄姆的報告指出，非洲坦尚尼亞的黑猩猩一天花費超過六小時的時間於咀嚼食物。事實上，靈長類花費在咀嚼的時間與體型大小成正比，所以假使人類生吃了與大型類人猿相同的食物，保守估計也要花上一天當中的四二%時間（若清醒時間為十二小時，四二%大約是五小時）於咀嚼。此外，類人猿因為吃生食，所以一天的時間也會因為消化的節奏而受到限制。進食量越多，就必須花越多時間消化，也就有必要安插休息時間。類人猿就這樣一直反覆做著進食後休息、休息後再進食的動作，沒有其他多餘的時間。不僅如此，如果吃下肉類時無法分解肌纖維、吃下植物時無法分解細胞壁較硬的纖維素，也會吸收不了胺基酸、脂質等營養。

不過，食物經過加熱後就會變軟。若借助火的力量加以烹飪，就能分解複雜的碳水化合物，讓蛋白質改變成更加容易吸收的結構。也就是說，原本為了攝取一天所需的熱量，就避免不了生物學上勢必要有的咀嚼時間，但人類藉由攝取經過烹飪的食物而得到了解脫。烹飪提高了食物的安全性，也排除了毒性，並減少腐爛。不僅如此，烹飪也幫助我們的身體從食物中攝取到更多的熱量。

人類的大腦約占體重的二．五%，卻會消耗掉約二〇%的基礎代謝量。為了維持大胃王腦部的運作，就少不了大量的熱量。因此，就想要高效吸收熱量這點來說，人類也只能選擇烹飪。

為了證明發明烹飪促使熱量大幅增加，且大到足以改變人類的進化路徑，蘭厄姆分享了現代的生食主義者處於營養不良狀態的研究案例，以及為了比較生飼料與經烹調飼料之效果差異而實施的實驗，也列舉出食物經加熱後熱量明顯增加的事例。蘭厄姆證實了他的假設，告訴人們如同牛隻以草為食、跳蚤以血為食，以及其他一切動物各有其適應的食物，類人猿憑靠火和烹飪的力量進化成為人類。

火的起源神話

烹飪絕對少不了一樣東西。那就是火。用火的起源悠久，同時也是人類史上最重量級的轉換點，因此誕生了許許多多的神話和傳說。英國社會人類學家詹姆斯·喬治·弗雷澤（James George Frazer）以《金枝》（*The Golden Bough*）揚名世界，其著作之一的《火源神話》（*Myths of the Origin of Fire*），即是在探討人類如何取得火源。

弗雷澤從世界各地為數龐大的神話和傳說中，僅蒐集火的起源神話並加以分析後，得到可將人類分類為三個時代的結論。

最初是沒有火的時代，接著是使用火的時代，最後是學會起火的時代。弗雷澤所蒐集的神話當中，以普羅米修斯（Prometheus）神話最具象徵性。

根據弗雷澤的說明，這個神話的內容是「偉大的天神宙斯刻意不讓人們知道火的存在，智慧過人的英雄普羅米修斯——泰坦神族（Titans）」之一的伊阿珀托斯（Iapetus）之子——從天神那裡偷走火種，帶到人間藏在茴香的枝幹中」。

古希臘詩人赫西俄德（Hesiod）的《神譜》（*Theogony*）從世界的發源，到眾神與人類、英雄們之間的關係，加以整理為原始系譜學。根據該書內容，普羅米修斯在獻祭公牛給天神的儀式上欺騙了宙斯（Zeus），惹得宙斯發怒。普羅米修斯為了把肉獻給人類、骨頭獻給宙斯，而設計了圈套。首先，普羅米修斯欺騙了宙斯，他以油脂裹住骨頭，讓宙斯以為放在人類面前的是一塊上等好肉。接著，普羅米修斯把真正的好肉藏在公牛的骯髒胃袋裡，讓宙斯察覺不到好肉就在其面前。

宙斯心急地要求普羅米修斯快獻上好肉，普羅米修斯說一句：「請挑選您喜歡的肉。」引導宙斯自己挑選。宙斯挑選了裹上油脂的骨頭，自此定下了獻祭動物給神明時的規則。也就是把上等好肉獻給人類、把骨頭獻給神明。

宙斯被普羅米修斯擺了一道而大發雷霆。首先，宙斯把火藏起來，讓人類吃不到熟肉。結果，普羅米修斯從天界偷走火種送給人類，宙斯為了報仇，把普羅米修斯綁在岩石上，任憑老鷹啃食他的肝臟。這個神話不論讀了多少遍，每次還是會被深深吸引，而現代也有人類學家重新定義這類神話世界的存在意義，認為這類神話扮演了自然與人類文化之間的調解角色。這位就是以結構主義聞名的法國人類學家克勞德・李維史陀（Claude Levi-Strauss），其巨作《神話學》（*Mythologiques*）系列的各集標題包含《生食和熟食》（*Le Cru et le cuit*）、《餐桌禮儀的起源》（*L'Origine des manières de table*）等，強烈主張了神話與進食之間的關聯。事實上，李維史陀也說過：「烹飪不僅代表著從自然轉移到文化，人類的條件也因為烹飪、藉由烹飪而被定義出所有屬性。無庸置疑地，就連那些如死亡等被認為是最自然的屬性，也包含在內。」意思就是，我們人類因為得到可用來烹飪的火，才得以從人猿進化為人類。

偉大的白麵包

以火加熱後，食物得以有各式各樣的變化。加熱可使蛋白質變性，澱粉也會因為熱度而糊化。只要多花一點時間，也能讓硬質的膠原，變成柔軟好消化的明膠。簡單來說，以火加熱可使食物變得好吃且容易進食。

《雜食者的兩難》（*The Omnivore's Dilemma*）一書在美國創下超過百萬本的銷售量，該書作者麥可．波倫（Michael Pollan）深深認同蘭厄姆的「烹飪假設」。蘭厄姆認為，速食的蔓延橫行和家庭料理減少是人類的危機，並表示「人類的存在少不了烹飪，而現今的烹飪衰退勢必會對我們帶來嚴重的影響，事實上也已經帶來了影響」。另一方，波倫也在親身實際烹飪的同時，一面調查探討人類的飲食與時代，並撰寫出《烹：火、水、風、土，開啟千百年手工美味的祕鑰》（*Cooked: A Natural History of Transformation*）。

波倫將烹飪廣泛定義為「讓生食材轉變成具營養又吸引人的所有技術」，並認為人們是仿效大自然的四大元素火、水、風、土，而展開煎烤、熬煮、烤麵包、使食材發酵的技術學習。過程中，人們察覺到烤肉或燉煮屬於個人就做得到的動作，但烤麵包必須有文明。麵包原本就與人類文化有著斬也斬不斷的關係，它是食糧、精神糧食、食物象徵，也是聖餐禮上的重要食物。根據波倫的說法，麵包的本質為「以巧妙的技術提升植物的營養價值和風味，且容易消化的食物」。

據說，食物鏈的生態金字塔每往上攀爬一層，就會流失九〇%的食物能量。某肉食性動物捕食草食性動物時，其轉移能量只有區區一〇％。大型捕食動物的數量之所以會比草食性動物來得少，原因就出在這裡。那麼，為什麼人類位居生態金字塔的頂端，存在數量卻能夠多於草食性動物呢？依波倫的整理內容來說，其答案之一就在於麵包。現今，所有人類的攝取熱量當中，有五分之一來自小麥。如同草食性動物，人類也是因為學會從位在生態金字塔最低層的植物中取得能量，才得以使得更多人類獲得飽食。事實上，小麥也隨著人類的繁榮，成為超越稻米的植物之王，在世界各地比任何穀物都更受到廣泛栽種。

此外，麵粉與資本主義經濟十分契合。十九世紀中期，隨著滾筒式磨粉機的誕生，製粉順利產業化，並且以爆發性的速度達到普及。不僅製作麵包的效率和速度獲得提升，精製麵粉既便宜又不怕在輸送過程中受損，因而成為方便運用的商品。不僅如此，白麵包帶有被視為高能量指標的「甜味」，因此除了得以滿足人類的各種欲望之外，也化為可有效率攝取熱量的「燃料」，為工業革命帶來支撐的力量。白麵包不僅成為新商品，也促成全新的食品體系，亦即促成了工廠生產。就產業的觀點來看，精製麵粉也帶來提升產能的好處，但只有一點例外。那就是人類的「健康」。

為什麼加工食品可以保存那麼久？

《備戰廚房：美軍怎樣塑造你的飲食方式》（*Combat-Ready Kitchen*）的作者安娜斯塔西亞·馬克思·德·薩爾塞多（Anastacia Marx de Salcedo），從以前就非常喜歡烹飪，還曾經在慢食協會的波士頓分會擔任過分會長職務。薩爾塞多抱著一個決心，即便孩子們的苦苦央求，也絕不會心軟答應去麥當勞。

> 與多數人一樣，我也一直打從心底這麼相信：烹飪非常重要，重大節日時家人會因為料理而團聚，自己親手做的料理會比交給他人的料理來得健康，也更能滿足心靈；烹飪是人類遺產的一部分，人們因為烹飪而得以串連起過去和現在的雙方世界。

因此，當孩子們開始上學後，作者沒有訂購學校的營養午餐，而是讓孩子們帶她親手做的便當上學。然而，薩爾塞多計算了一下「親手做的便當」裡的「配菜」有效日期後，驚訝地發現合計後的有效日期之長，幾乎足以超過孩子的年齡。因為孩子們愛吃，所以薩爾塞多使用了加工食品，但她發現用來做三明治的火雞火腿的品質保持期限特別長，可以保存兩週之久，白色或黃色的多色美國乳酪就是放上一個月也照樣能吃。還有，「全麥麵包」可以長時間保存且依舊柔軟，這究竟是怎麼回事？薩爾塞多的內心滿是疑問。

為了解開內心的疑問，薩爾塞多展開調查，一路調查到了美國的陸軍設施。最後，薩爾塞多發現駭人的事實，「為孩子準備的便當之所以不健康、不新鮮，也不環保，都是因為那些食品本是專門製作給士兵食用，而非兒童」。薩爾塞多表示，如果要說好萊塢是電影的聖地，美國陸軍的　蒂克研究所，就會是造就美國人飲食生活基礎之加工食品的聖地。

> 若是把加工食品的世界比喻成宇宙，第二次世界大戰即相當於宇宙大爆炸。
>
> （中略）
>
> 在這個宇宙裡，　蒂克研究所（最初名為糧食研究所，後來又被稱為食品容器研究所）的存在相當於太陽，許多嶄新的科學概念、劃時代的重要新技術在此誕生，其成果也從早上的咖啡，到消夜的巧克力餅乾，被發揮於包羅萬象的食品製造上。
>
> ——《備戰廚房：美軍怎樣塑造你的飲食方式》

大家不妨到附近的超市逛一逛。在超市入口附近的蔬果區會看到生菜沙拉專用的袋裝蔬菜，其調氣包裝（Modified Atmosphere Packaging, MAP）的發明即誕生於美國陸軍的運輸技術開發。利用高壓加工方式於新鮮果汁的非加熱殺菌技術，也是在陸軍主導下開發出來的技術。

加工食品就不用說了，用來加熱加工食品的微波爐，也是從屬於一種軍用電磁振盪器的磁控管所延伸出來的產品。新鮮肉品區的去骨肉、組合肉，也是因為陸軍必須把好幾千萬頭份量的肉送到戰地而具備了運輸技術，進而開發出這類肉品。罐頭、玻璃密封瓶的技術從根本改革了食品的保存方法，此技術也是以法國糕點師尼古拉・阿佩爾（Nicolas Appert）當初在法國皇帝拿破崙（Napoléon Bonaparte）的呼籲下而想出的發明為基礎，再由美國陸軍進一步地完成開發。

孩子們最愛的彩色巧克力「M&M's」、品客所採用的馬鈴薯乾、能量棒和巧克力餅乾，也都運用到了美軍的技術。便宜又耐放的食品當中，有一大半的原點都與 蒂克研究所的技術有關。為什麼加工技術得以如此廣大發展？其原因就在於美國陸軍的加工技術，為食品產業本身帶來了莫大的利潤。

當然，食品產業擴大並不是只出現在美國的現象。根據日本瑞穗銀行的「二〇一八年度中期日本產業預測（加工食品）」內容，日本的加工食品國內生產毛額可望比前年增加一・二%、約達二十四兆日元，將是呈現緩慢成長的一大產業。一般社團法人日本食品服務協會所發表的二〇一八年外食產業市場規模推估內容，也指出外食產業比起前年實績呈現微幅增加，可望達到約二十六兆元。

簡單、方便的甜蜜誘惑

經過包裝的食品，也就是袋裝的即食食品和冷凍食品等「加工食品」，不用說大家都知道是在工廠進行生產。在工廠，會以與家庭截然不同的方式來生產食品。這也是為何會被稱為「加工」，而非「烹飪」的原因。加工食品與家庭料理的不同點在於，加工食品所使用的砂糖、油脂、鹽巴遠遠多過家庭料理。此外，為了讓食品耐放且看起來新鮮，也使用了化學藥品。如麥可・波倫的著作所指出的事實，花費在烹飪的時間長短確實與健康有所關聯。隨著從家庭料理轉移到商業化的加工食品，美國自一九七〇年代後，平均每天變得多攝取五百卡路里。

薩爾塞多提到：「現在我為家人『烹飪』時，排上餐桌的料理及該食材就算不是全部，但至少有一半是經過某種形式加工過的東西。」加工食品的背後，有著人數相當於一座小城市人口的食品科學家和技術人員參與其中。薩爾塞多表示美國陸軍的技術絕不是一種罪惡，也表達謝意說：「多虧了加工食品，我才得以擁有以往沒有的自由。」

然而，在不需要烹飪就能生存的時代裡，究竟還有多少人需要拿起炒鍋或磨刀呢？美國料理家凱瑟琳・弗林在《魚料理烹飪課》（*SAKANA Lesson*）中這麼提到：

學習是在增加選項。對家庭料理者來說，每次自己熬高湯或許有些不切實際。因此，只要讓自己擁有多樣化的選項，可以去配合當天的菜單或生活模式就好。**只需要在即食與頂尖廚師之間，找到可以讓你感到舒適的位置就夠了**。

一湯匙裡的文明

包含煎肉、水煮熬高湯、烤麵包或使用微波爐加熱加工食品，我們的烹飪其實無意間地順著人類的歷史在前進。有部漫畫作品即是從「終極」與「至高境界」兩個極點在探討烹飪。這部漫畫作品，即是從一九八三年在日本出版社小學館的《Big Comic》開始連載、目前停止刊載中的《美味大挑戰》。雖然大家對作者的獨家見解有褒有貶，但《美味大挑戰》不僅論及日、中、西式料理，也會以家庭料理、食材或食品添加劑為主題，廣泛探究日本的飲食文化。

當中最引人深思的，莫過於「咖哩對決」的那一集作品。何謂咖哩？何謂咖哩粉？咖哩應該搭配什麼來吃？咖哩的語源是什麼？這集作品分別針對多項議題進行探討，並為了尋求咖哩的本質遠到印度進行採訪，其內容之講究令人咋舌。該集作品的創作背後，也多次採訪了《咖哩學入門》、《印度・咖哩紀行》作者辛島昇，以及解開誕生於印度的辛香料理為何成為日本國民美食之謎的《咖哩飯與日本人》作者森枝卓士，其內容的密度之高，足以讓英國歷史學家莉琪・科林漢（Lizzie Collingham）也視為參考對象，並在該著作《印度咖哩傳》（*Curry: A Biography*）中提到「甚至還有描述主人翁們熱烈議論，如何製作最美味咖哩的漫畫」。

拉麵和咖哩同為日本國民美食的重量級存在，但原本都是異國料理。拉麵是因為二戰後，解除動員的士兵們開始經營拉麵攤而發展到日本各地。相對地，咖哩是因為成為軍隊的固定餐點，而擴散到日本全國。科林漢表示「在歷史方面明明沒有與咖哩有任何關連，印度料理卻在英國占有一席之地，而若要舉出一個足以與這點匹敵、賦予咖哩國民性重要地位的國家，那將會是日本」，指出了日本對咖哩需求的特異性。

印度咖哩是融合了各種外國文化而誕生的料理。就可以從一湯匙之中觀察到亞洲文明由來這點來看，其存在也是雄偉宏大。品嚐咖哩的動作本身等同於在遊歷印度的歷史，透過探尋咖哩的起源，也可窺見亞洲這條寬廣的飲食地下水脈。

舉例來說，斯里蘭卡的咖哩美味關鍵「馬爾地夫魚」簡直就像日本的柴魚乾，而斯里蘭卡紫米就像日本的紅豆飯。實際吃了芒果乾製成的「Amchoor」（芒果粉）後，會驚訝地發現吃起來像日本的梅乾味道。儘管是第一次品嚐到的食材，卻甚至會讓人有種懷念的感覺，這般咖哩的起源實在教人很難不被吸引。

兩起歷史事件對印度咖哩帶來了最大的影響。其中一起是因葡萄牙探險家瓦斯科·達伽馬（Vasco da Gama）在一四九八年開拓了航海路線，而帶來被印度詩人讚譽為「貧民救世主」的「辣椒」。另一起是蒙兀兒王朝的開國皇帝巴布爾（Babur），在一五二六年從北方侵略印度而誕生的蒙兀兒料理。這兩者融合在一起後，發展出了印度咖哩。

在日本，印度咖哩當初被視為西洋料理從英國引進過來，但還有另一條路徑帶來了印度咖哩的傳統。印度革命家拉希·比哈里·鮑斯（Rash Behari Bose），以脫離英國獲得獨立為終生目標，其坎坷人生與日本的印度咖哩起源有著極深的交集。日本政治學家中島岳志在其名著《中村屋的鮑斯》中，說明了中村屋的「咖哩」不是「日式咖哩」的原因，一個原因是中村屋對於第一次介紹給日本之道地印度料理的堅持，另一個原因是當中蘊含著鮑斯對英國統治印度的痛批。咖哩的真髓在於小小一湯匙裡不僅盛著美味，還能讓人感受到完整的文明。

好吃、便宜、快速的魔法

好吃、便宜、快速——這是為了讓忙碌現代人填飽肚子的魔法咒語。這個魔法使用了大量的鹽巴、砂糖以及化學藥劑。忙著處理如波濤般洶湧不休的工作，或回覆朋友們的社群訊息時，我們究竟灌了什麼進肚子裡？

依賴簡便食物與省時料理的現象，並非只出現在日本，而是全世界都陷在其中。在現代的生活中，花時間烹飪這件事已漸漸變得特別，事實上，比起由外行人的我來烹飪，專業廚師烹飪出來的料理肯定比較好吃。

以前我跟一群人共同租屋時，因為廚房屬於共用空間，所以大家定出每天由不同共住者負責晚餐的規則。搬進去住的第一天，我心想可以拿出真本領的料理來款待大家，進而代替自我介紹，於是做了一道自己最有自信的料理。

這道料理不複雜，就是把義大利麵條燙熟後，加入納豆、雞蛋攪拌均勻，最後撒上永谷園的海苔茶泡飯即大功告成。小米果的酥脆口感，配上裹著濃郁蛋液的義大利麵，那美妙滋味肯定會讓大家讚不絕口。我自信滿滿地款待了這道料理，共住者們也都異口同聲地稱讚我做的料理好吃。只是，打從那次之後，就再也沒有輪到我負責煮晚餐過了。姑且不論我的那道義大利麵稱不稱得上是料理，但如果有機會吃到美味料理，任誰也會想吃美味料理（我沒有要替自己辯解的意思，但到現在我還是對納豆雞蛋義大利麵的美味有著十足的自信）。

順利煮出一道好菜，趁著還冒著熱騰騰的白煙一邊說好吃，一邊送進嘴裡時的那種喜悅，可說是無可取代的無上幸福時刻。美味料理正是我們的生存糧食。

人類透過料理的歷史，在各自的土地一路開拓「美味」。從生的食材，到煮熟的食物、燉煮料理、發酵食物、運用科學技術的食品，隨著時代變遷，烹飪技術、「好吃」的滋味和定義，也一路持續變化過來。

當一個人覺得某東西好吃，並向他人表達該東西的美味時，就等於是在表達其自身。我們的人生或許沒有正確答案，但人與人之間會因為各自的「美味」互給衝擊，時而彼此交集，而帶來幸福的對話。如果說可以在「開動」到「我吃飽了」之間產生文化，那將會是再刺激不過的料理。

第6章

發現幸福的青鳥

某天，一位從大學時期就一直保持往來的朋友打了電話來。一方面因為當時才得過帶狀疱疹，加上身體也出過狀況，所以除了和朋友閒聊彼此的家人狀況、工作狀況，也聊到了健康狀況，結果朋友建議我可以試試打坐。

以前，我曾經在佛教的相關雜誌寫過佛教書籍導覽的連載。當時我也曾經介紹過打坐書籍，但說來慚愧，我自身並沒有實際打坐過。因此，朋友無意間說出的話語特別打動了我。

「最近，我早上起床都會做正念。即使只是調整一下呼吸，也會覺得整天完全不一樣呢。反正又不花錢，你要不要做一次看看？最近這一類的書在書店不是也都賣得很好嗎？」

如朋友所說，這幾年確實不只有佛教書籍，以心理學、商業書為首，健康美容、飲食療法、教育、育兒等多數書籍區，也會看到各種以正念為主題的書籍。我從童書的書架上拿起凱拉・威利（Kira Willey）的《孩子失控怎麼辦：三十個讓孩子恢復平靜的技巧》（*Breathe Like a Bear: 30Mindful Moments for Kids to Feel Calm and Focused Anytime, Anywhere*）一看，才赫然發現日本的小學也已經把正念編入課程之中。

正念（Mindfulness）經常被翻譯為「覺察」，雖然正念冥想是經由美國傳來的冥想，但起源是來自佛陀的原始佛教。第一次有正念書籍進貨到店裡來時，我不知道該排在哪個書架上才好，於是急忙到鄰近的書店，觀摩別人以什麼分類來陳列。在專業書籍豐富的書店，多會陳列在原始佛教書籍區，其他書店則有的排列在心靈世界的書架上，有的陳列在瑜伽書籍區。打了電話向出版社的負責人員確認後，對方斬釘截鐵地告訴我屬於佛教書，於是我決定以佛教書來銷售。

正念之所以形成潮流，是因為 NHK 在二〇一六年六月十八日播放了特別節目「致命壓力」。在這個節目的起頭下，正念瞬間成為網路的熱門搜尋關鍵字，相關書籍的銷售狀況也出現劇烈改變。緊接著，NHK 教育頻道節目《Science ZERO》在八月二十一日播出特別節目《以新冥想法「正念」拯救大腦！》，以及日本電視台節目《全世界最想上的課》在十月二十二日播出「教你怎麼休息最好，保證讓你頭腦清晰不再腦部疲勞！」。這類節目接連播出後，正念從專業書籍一躍成為熱門書籍，陳列空間也急速擴大。

從二千五百年前，持續至今的佛教傳統冥想方式之一的內觀（Vipassana）冥想，為什麼會在現今這個時代，以正念冥想之名博得眾多讀者的心呢？思考這個問題後，可以發現幾個可能的原因。

二十一世紀的流行病

世界衛生組織（WHO）稱壓力為「二十一世紀的流行病」，並提出警告表示到了二〇三〇年，憂鬱症將成為全世界造成最大社會損失的疾病。事實上，根據二〇一五年，NHK放送文化研究所和「國際社會調查計畫ISSP」的輿論調查結果，「會因為工作而感受到壓力（包含「一直都會」和「經常會」）」的人將近半數，數字高達四七％。

當然了，壓力並非只發生於職場。考試、學校、人際關係、疾病、看護、家事、日常的金錢調度等等，壓力來源數也數不盡。NHK的節目曾經介紹過把一隻小魚放進凶猛天敵也在其中的實驗水槽後，小魚也陷入憂鬱狀態的片段。佛陀一語道破人生「一切皆苦」，此概念是套用於整體生物的真理。

壓力一詞原本是物理學上，用來表示彈簧內部所產生的扭曲現象。此用語是在一九三五年被加拿大的生理學家漢斯．塞利採用後，才轉變為用來表達「生命所產生的扭曲」之意。

根據《大辭林第四版》的解釋，壓力是指「因精神緊張、操勞、苦痛、受寒、感染等極為普遍的刺激（壓力源）而引發的身體機能變化。一般多指會對精神、肉體造成負擔的刺激或狀況」。也就是說，在現代，對身心會造成不良結果的所有現象都是壓力。

由NHK特別節目採訪小組彙整而成的《致命壓力》一書中，徹底追查當某條件一再發生後，壓力就會奪走人命的原因，極力揭穿其真實面貌。該書中提到為了減輕壓力，首要之務在於掌握自己有何壓力。本書裡介紹了精神科醫師夏目誠等人根據美國構思出來的壓力評估方法，重新製作為適用於日本人的「生活事件壓力檢查表」，為讀者提供了任何人都能輕鬆掌握自己目前承受多大壓力的可視化指標。這裡的評估對象是自身一整年所經驗的事件。評估動作很簡單，只要依各項目檢查事件，再單純填上分數就好。依分數高低，會得到不同的評估結果。

・二百六十分以上　處於壓力大、須提高警戒的階段
・三百分以上　處於有可能引發疾病的階段

補充說明一點，這裡所指的因壓力而引發的疾病除了憂鬱症之外，也包含了從心肌梗塞、癌症等重大疾病，到感冒、蕁麻疹、過敏、胃炎、胃潰瘍、十二指腸潰瘍、肺栓塞、糖尿病等種類豐富的疾病。順道一提，我檢查出來的結果拿到了三百八十六分的高分。為什麼會拿到如此高分呢？原因是一般認為是好事的事件，也可能被列入壓力分數。

為什麼人生中被認為是「好的」事情，卻會對身心造成「壞的」結果？NHK特別節目

採訪小組描述到「我們試著重新定義壓力後，得到壓力即是『變化』的結論」。也就是說，不分公私，人們從出生到死亡所遭遇的一切變化，都是造成壓力的原因。這麼說來，設法排解壓力就會是所有活在當下者必須面對的課題。

莫斐斯的「紅色藥丸」

根據WHO的說法，美國的產業每年因壓力而蒙受的損失約為三千億美元，其中醫療費占了一大半。美國心理學會分析出造成壓力的三大原因，分別為「金錢」、「工作」、「社會經濟狀況」，有六九％的員工回答其最大壓力為工作壓力。為了應付此課題，美國心理學會提出五大對策：

1. 避開造成壓力的原因
2. 笑口常開
3. 獲得朋友和家人的支持

4. 運動
5. 冥想

美國心理學會的「冥想」建議頗教人感到意外，但其指的冥想，正是在日本也備受矚目的正念冥想。

在美國和歐洲，正念冥想早已被視為固有的壓力解決方案。美國記者羅伯特・賴特（Robert Wright）以《道德動物：我們為何如此思考、如此選擇？》（*The Moral Animal: Why We Are the Way We Are: The New Science of Evolutionary Psychology*）一書，為進化心理學開闢出一條嶄新的地平線，也在《令人神往的靜坐開悟》（*Why Buddhism is True*）中提到自身受到正念冥想的莫大影響。美國電影《駭客任務》（*The Matrix*）在美國被評為「佛法電影」，該電影導演華卓斯基姐妹（The Wachowskis）當初親手拿了三本書給飾演主人翁尼歐（Neo）的男主角基努李維（Keanu Reeves），其中一本即是《道德動物》。如果以「駭客任務」來比喻這本書，那就是莫菲斯（Morpheus）遞給尼歐的「紅色藥丸」。

「駭客任務」裡，主人翁尼歐所生存的現實世界，其實是經過精心設計的幻覺。真正的人類受到「機器」控制，機器為了榨取能量，把人類放進培養艙裡幻想自己過著美夢般的人生。

反抗機器控制的地下組織領袖莫斐斯，主動接近主人翁尼歐，並逼迫尼歐做出選擇。你要吞下「藍色藥丸」，選擇繼續活在機器編織出來的妄想世界？還是吞下「紅色藥丸」，選擇甦醒面對嚴酷的現實世界？

賴特表示，他回顧自己的人生而選擇吞下名為進化心理學的「紅色藥丸」，讓自己面對嚴酷的現實世界，但未能從心理學中獲得對於未來的指引。為了擺脫被心理學家形容為「享樂跑步機的狀態」（指明知到不了任何地方卻還是會持續奔跑的現實狀態），賴特反覆做了各種嘗試，最後來到了「靜坐冥想營」。賴特就是在這個靜坐冥想營實踐了從「內觀」冥想所衍生出來的正念冥想。正念冥想是一種藉由讓注意力集中在當下發生的事情上，進而保有清晰心靈的冥想。事後回顧起正念冥想的體驗時，賴特這麼做了描述：

> 我不是愛哭的人，此刻卻哭了起來。我試著要靜靜地哭，結果卻嚎啕大哭。
>
> 沒過多久，愉悅的興奮之情取代了禪悅。我記得靜坐冥想時間結束後自己有多麼沮喪，我看著人們安靜地魚貫走出大廳，卻無法與任何人分享我的重大體驗。這不僅是我征服了對自己的厭惡，我還感覺到過去只會帶來痛苦和掙扎的事情，現在對我來說容易多了。我已經達到一個高度的精神層面，尋獲某種靜坐冥想技巧。

——《令人神往的靜坐開悟》

對於自己為何會流淚，賴特以符合心理學家的作風做了自我分析。

我從小是在美南浸信會虔誠長大的。為了思考人類如何成為現在的樣子，我比較了天擇理論和聖經創世紀，於是在青少年時期開始離開這份信仰。我從來沒有渴望再尋找其他事物來取代自己的基督教信仰，但失去這份信仰有可能使我內心留下了某個空缺。（中略）總之，那晚我獲得了拯救。這麼說並不是誇大其辭。

令人好奇的是，美國約有七五％的人口都是基督教徒，卻忽然有那麼多人對佛教感興趣。一九九七年十月十三日號的美國雜誌《時代》（*TIME*）做過「美國佛教」（Buddhism In America）的特別報導，二〇〇五年十二月號的《國家地理》（*NATIONAL GEOGRAPHIC*）雜誌也以「佛陀崛起」（Buddha Rising）為標題做過特別報導。一九七〇年代中期，美國的佛教徒人數約為二十萬人，但在過了三十年後，增加到將近十七倍，獲得約三百五十萬人的廣大支持。

正念冥想之所以會在歐美各國造成流行，其背後原因無疑是佛教在美國的蓬勃發展。佛教學家肯尼斯・田中（Kenneth Ken'ichi Tanaka）在《覺醒的宗教》（*The Faces of Buddhism in America*）中，針對從基督教改宗佛教的人們做了調查，並這麼分析其原因：

> 基督教、猶太教等宗教都有著偉大崇高的教義，卻沒有明確的方法可以體驗該教義。相較之下，佛教可以透過任何人每天都能實踐的冥想，去實際體驗教義。

蘋果公司創辦人史蒂夫・賈伯斯（Steven Jobs）十三歲時，看見《生活》（*LIFE*）雜誌封面上拍出兩名受飢餓所苦的非洲孩童，所以在定期上教會時詢問牧師說：「上帝知道這件事（受飢餓所苦的孩童們）嗎？他們以後會怎麼樣？」「你或許無法理解，但上帝是知道這件事的。」聽到牧師的回答後，賈伯斯再也沒有上過基督教會。取而代之地，賈伯斯轉為學習實踐佛教的禪。

禪與ZEN

「風水」起源於古中國，其英語也跟國語發音一樣為「Feng shui」。同樣發祥於中國的禪為何不採用國語發音的「Chan」，而是採用日語發音的「Zen」呢？原因就在於日本佛學學者鈴木大拙去了美國。名著《禪思想史講義》不是採用細細闡述的方式，而是宛如大筆一揮似地捕捉了禪思想的歷程。其作者小川隆在書中勾畫出中國宋朝的禪傳播到東南亞各地後，接著傳入日本，並在二十世紀以鈴木大拙為起點，從日本進一步地逐漸擴散到歐美的歷程。

禪也以中國的「Chan」、韓國的「Sung」、越南的「Tien」傳到了美國，但因為受到鈴木大拙所傳達的「禪」的早期影響，所以就連舉世聞名的越南禪師釋一行，也被稱呼為「Zen Master」。然而，根據日本作家山田獎治的嘔心瀝血之作《Tokyo Boogie Woogie與鈴木大拙》*的描述，帶給美國甚大影響的鈴木大拙在一九〇六年《華盛頓郵報》（*The Washington Post*）的報導中，卻被介紹為「Mr. SUGUKI」+。鈴木大拙當初連名字都被喊錯，為何後來能成為

* Tokyo Boogie Woogie是一首日本家喻戶曉的日文歌謠，其作詞者為鈴木大拙之子鈴木勝。
* SUGUKI為錯誤發音，鈴木的正確日文發音為SUZUKI。

被譽為「人類教師」的存在呢？

第一個轉捩點的到來是在一九四八年，瑞士心理學家榮格（Carl Gustav Jung）為鈴木大拙寫了序文的〈禪學入門〉（An Introduction to Zen Buddhism）決定再版。因為在海外的書評變得活絡，倫敦和紐約也決定重新出版鈴木大拙一路來的著作。在受到洛克菲勒基金會（Rockefeller Foundation）等團體的支持下，鈴木大拙從一九四九年開始以夏威夷大學、哥倫比亞大學為首，在全美各地的大學展開授課。一九五七年，女性雜誌《VOGUE》的小篇幅報導「世上的傳言」成為導火線，兩週後週刊《時代》雜誌以焦點人物報導鈴木大拙，鈴木大拙的人氣瞬間爆漲。《紐約客》（*The New Yorker*）、《週六評論》（*Saturday Review*）等傑出雜誌也陸續報導了鈴木大拙，到了一九五八年，就連女性時尚雜誌《Mademoiselle》也展開標題為「何謂禪？」的專題報導，並做出「如今禪已成為調酒派對上最熱門的話題」的報導。

在美國的報導持續發燒之中，某青年與一本書的邂逅，為禪帶來了關鍵性的改變。一九五三年，一名年輕人在曼哈頓的街上閒晃時，踏進散發莊嚴氣氛的「美國第一禪協會」，拿起了鈴木大拙的著作。這名青年立刻找來幾個要好的朋友，一起寫筆記深入閱讀該著作，最後整群人都迷上了禪。這名青年名叫艾倫·金斯堡，日後成了為垮掉世代*與嬉皮世代+搭上橋梁的絕世詩人。

一九五〇年代，美國重回和平與繁榮的生活，日後一群被稱為「垮掉的一代」的年輕人現身。這群年輕人對政治和社會漠不關心，掀起一場藉由性愛、嗑藥、爵士和禪來追求自由的文學社會運動。這場運動的核心人物包括因鈴木大拙的著作而受到莫大影響的美國作家艾倫・金斯堡（Allen Ginsberg）、美國小說家傑克・凱魯亞克（Jack Kerouac）、美國詩人蓋瑞・史耐德（Gary Snyder）等人。

一九五七年，凱魯亞克以小說《在路上》（*On the Road*）一躍成名後，於隔年發表了使垮掉的一代邂逅佛教的關鍵存在《達摩流浪者》（*The Dharma Bums*）。這本小說有一半內容屬實，描寫了凱魯亞克與金斯堡，以及同樣是佛教徒的蓋瑞・史耐德之間的交友紀錄。此作品徹頭徹尾營造出獨自一人活在這世上的難耐寂寞感。「為什麼即使有地方吃、有地方睡、有地方住，我們還是無法感到滿足？」讀著讀著，凱魯亞克的這句質疑觸動了我的內心。凱魯亞克強而有力地呼籲人們走向理想社會，烘托出籠罩美國的消費社會。

＊ Beat Generation，或稱疲憊的一代、墮落的一代，是二戰之後美國一群作家開啟的文學運動，意在探索和影響二戰後的美國文化和政治。
＋ Hippie，代表著一九六〇和一九七〇年代，一群提倡自由、和平、反戰，並且追求自然的年輕人。

現代人都被洗腦，覺得應該消費商品。為了得到消費的權利，必須勤快地工作賺錢。意思就是，他們讓自己被監禁在一個「工作－生產－消費－工作－生產－消費」的無限循環裡，無法逃脫。達摩流浪漢拒絕這社會的一般要求，絕不消費無需消費的東西。世上的人們做牛做馬，就為了買得起像冰箱、電視、汽車、髮油、止汗劑這類他們根本不需要的垃圾。（中略）

達摩流浪漢會拋開這堆廢物，讓自己去流浪。

我有一個美麗的願景，我期待著一場偉大的背包革命的誕生。屆時，將有數以萬計甚至數以百萬計的美國青年，揹著背包，在全國各地流浪。他們會爬到高山上去禱告，會逗小孩子開心，會取悅老人家，會讓年輕女孩爽快（中略）他們全都是禪瘋子（中略）會把永恆自由的意象帶給所有的人和所有生靈。

凱魯亞克將其沸騰的思想與熱情投注在這本書裡，而這本書也發揮了使「達摩」這個佛教用語在美國擴散的作用，並成為可代表垮掉的一代的暢銷書。凱魯亞克所寫的背包大革命，預言了下一個到來的嬉皮文化。

兩位鈴木先生

一九五九年，禪宗的五個主要流派之一曹洞宗的僧侶鈴木俊隆前往美國傳教。最初，會員幾乎都是日裔人士，但後來漸漸地，開始有屬於垮掉的一代的年輕人聚集到鈴木俊隆的身邊學習打坐。不久後，鈴木在一九六二年成立了美國首座禪中心「The Zen Center」（日後的舊金山禪修中心）。

鈴木俊隆和鈴木大拙在美國被並稱為「兩位鈴木先生」，受到廣大民眾的支持。大拙強調「開悟」，相對地俊隆則是提倡「只管打坐」。鈴木俊隆的禪修中心以「初心」為重，並如磁鐵般吸引西海岸的反文化青年們聚集而來。鈴木俊隆在如今被形容是禪宗經典的《禪者的初心》一書中提到，人們都說禪修很難，但禪修之所以困難，不在於要盤腿而坐，也不在於要達到開悟。鈴木俊隆告訴人們禪修最重要的是，「要讓我們從根本保持心的清淨，也讓修行保持清淨單純」。另外，鈴木俊隆還提到：「雖然日語只說初心兩字，但初心的意思代表著『初學者的心』（beginners mind）。修行的目的就是為了始終保持這個初心。」

初學者的心，充滿了諸多可能性，不像老手的心，飽受各種習性羈絆。

鈴木俊隆也像這樣避開開悟、涅槃等專業術語，持續告訴人們「初心」具有「無限的可能性」，帶給了美國年輕人坐禪的勇氣。

日後禪僧藤田一照在美國指導禪修，他在與日本詩人伊藤比呂美的合著作品《禪的教室》中提到「美國的文化是一個動不動就想當專家的文化。考取資格成為某種專家一直是美國社會的主流價值觀」，並表示鈴木俊隆的《禪者的初心》成為反抗美國這種專家文化的力量。

一九六〇年代，繼垮掉的一代之後，嬉皮們也開始實踐冥想。在那同時，嗑藥和自由戀愛所帶來的意識變異之下，以「反文化」為震央的「新時代運動」蓄勢待發。當時開始流行喇叭褲、渲染風格，就連全球知名的文化英雄披頭四樂團（The Beatles），也去到印度跟隨瑪哈禮希・瑪赫西・優濟（Maharishi Mahesh Yogi）一起冥想。

當時受到影響的不只有音樂人士。哈佛大學心理學家理查・亞伯特（Richard Alpert）也去了印度，並在回國後以拉姆・達斯（Ram Dass）自稱，談論起高次元意識。拉姆・達斯在《活在當下》（*Be here now*）中公開自己當初捨棄哈佛大學的教授職務，選擇成為一個瑜伽行者的原因，如今這本書被視為反文化的聖經，與斯圖爾特・布蘭特（Stewart Brand）的《全球概覽》（*Whole Earth Catalog*）、卡洛斯・卡斯塔尼達（Carlos Castañeda）的《唐望的教誨》（*The Teachings Of Don Juan*）系列，以及弗里喬夫・卡普拉（Fritjof Capra）的《物理學之道》（*The*

Tao of Physics）都帶給了美國年輕人絕大的影響。

始於一九六〇年代，追求東方靈性的傾向，在進入七〇年代後更是加速發展，冥想也漸漸開始美國化。美國生化學家約瑟夫・里歐納德・戈爾茨坦（Joseph Leonard Goldstein）與美國作家傑克・康菲爾德（Jack Kornfield）等人在印度的菩提伽耶結識後，一回到美國便成立冥想中心，為一群對冥想感興趣卻不曾去過印度的美國人，提供能夠實踐內觀冥想的空間。在那同時，人們也開始湧入全美各地多達數百間的禪修和藏傳佛教設施，冥想就這樣漸漸被推向主流文化。到了一九七九年，美國出現了關鍵改變。

正念冥想的誕生

一九六〇年代，一名就讀於麻省理工學院（ＭＩＴ）的學生在聽了鈴木大拙的講課，又閱讀了鈴木俊隆的《禪者的初心》後，深深受到禪學的啟發。年輕人日後提到自己第一次體驗冥想時，便直覺地感受到「這就是我一直在尋求的東西」。這名學生就是喬・卡巴金（Jon Kabat-Zinn）。卡巴金在ＭＩＴ取得分子生物學的博士學位後，便在研究室工作，同時持續實踐個人的冥想。有一次，喬．卡巴金準備進入冥想來取代休息時，忽然有所覺察。

卡巴金心想倘若透過冥想真能像他得到的感受一樣，廣大幫助人們擺脫痛苦、安撫脆弱的神經，那麼嘗試冥想的地點是否不應該在冥想館，而應該在感受到更深切苦痛的人們所在的地方？

為了證實這個假設，喬．卡巴金於一九七九年在麻州大學醫學院設立減壓門診。以這間診所為據點所開發出來的冥想，即是「正念減壓法」（MBSR）。其特徵是以內觀冥想為中心，系統性地搭配觀照呼吸、靜坐冥想、身體掃描、瑜伽以及行走靜觀，所設計出來的八週課程。MBSR從指導少數學生開始起步，其療效隨著口碑傳開後，接受一般治療卻不見療效的病患開始也會前來看診。

促成MBSR在美國得以受到廣大支持的契機，可大致分為四點。

首先，在於能夠以科學方式測出治療的醫學效果。如喬．卡巴金在《正念療癒力》（*Full Catastrophe Living*）中所做的說明，以接受紫外線療法的乾癬患者為對象，測量冥想能夠為他們帶來多大效果時，發現未實踐冥想的群體與實踐冥想的群體，在療效上產生約四倍的差異。不限於乾癬患者，也針對眾多領域以醫學方式測量了療效。在進行某實驗時，讓冥想組與對照組雙方都接受流感疫苗的施打後，發現冥想組當中哪怕是個初學者，也出現良好的免疫反應。

第二點在於美國的醫療制度。如日本心理醫師香山理香在《正念最前線》中所指出，促成MBSR爆發流行的原因之一，在於醫療制度之適用。在美國的醫療現場，保險並不適用於無次數限制的精神科治療，另一方面，如果是次數或期間固定的療程，保險就會比較容易適用。多虧喬・卡巴金把MBSR設計成為期八週的療程，使得以往只有部分富裕者才能掛號看診的精神科治療變得開放。

第三點在於電視節目。一九九三年，美國的公共電視台節目《比爾・莫耶斯陪你一起療癒心靈》（*Healing and the Mind with Bill Moyers*）做出MBSR的特別節目，此舉成為關鍵的一擊，大幅擴大了民眾對MBSR的認知。對於替代醫療，美國記者莫耶斯原本抱持懷疑的態度，但歷經為期八週針對MBSR的療程進行採訪後，莫耶斯花了整整一小時的時間介紹喬・卡巴金的研究。「像魔咒一樣好詭異喔！」「真的有效嗎？」有了新聞界第一把交椅替MBSR掛保證後，這類風評隨之煙消雲散，使得MBSR發展為看診人數高達幾十萬人的臨床治療。

最後一點在於喬・卡巴金的普及策略。在佛教和冥想方面，喬・卡巴金原本就十分具有慧根，他為了避免惹來單純的誤解，所以刻意與宗教保持距離。

直到不久前，許多人聽到「靜觀」（meditation）或「冥想」這些字眼還是會眉頭一皺，直覺地認為那是神祕主義或騙人的把戲。其中部分原因，是人們不了解所謂的冥想其實就是「保持專注」。對於這個「保持專注」，我稱之為「正念」（中略）保持專注本來就是人人都能做到的，至少偶一為之。於是人們明白原來正念與生活是息息相關的，而不是陌生或悖離生活的事情。

——《正念療癒力》

喬．卡巴金在美國文化一路走來的神祕主義、垮掉的一代、嬉皮文化、新時代運動，與自身創造出來的正念冥想之間，清楚地畫上一條界線。為了以科學方式查證藉由正念冥想所得到的效果，並將這個效果不分對象地提供給受痛苦折磨的人們，喬．卡巴金將正念冥想與其孕育之母「佛學」做切割，獨立出正念冥想。

僅針對冥想效果來應用冥想技術的做法，也惹來佛教人士的批評，但喬．卡巴金在美國這個壓力大國，掀起一股強大冥想潮流是個不爭的事實。

過去，榮格曾在《東洋冥想的心理學》（*The Psychology of Eastern Meditation*）中提到，起源於古印度瑜伽的東洋冥想傳統，為歐洲帶來了重要的教訓。榮格也表示不應該把東洋的修行法或思想就這麼直接帶進西洋，而應該在西洋自身的傳統之中、自身的土地上，自己努力去創造出適合歐洲人的瑜伽。喬・卡巴金彷彿是為了實現榮格的預言似地做出行動，為受壓力所苦的西洋人開闢出嶄新的道路。

Google 的正念革命

我們都知道不僅醫院，正念冥想也被許多企業應用在商業之中。大衛・吉爾斯採訪過導入正念冥想的著名大企業，並在其著作《正念工作》（*Mindful Work*）中，篤定表示「就像上健身房練習舉槓鈴就能練出肌肉一樣，只要實踐正念，我們的心也會變得強韌。至於什麼方法能做到正念，那就是已得到實證的冥想」。事實上，實踐冥想的人們比沒有實踐的人更懂得巧妙處理不安或失落等情緒，在所謂「情緒商數」（Emotional Intelligence Quotient, EQ）上，可觀察到兩者的差異。

Google 為全球四大 IT 企業 GAFA 之一，比爾・達韋恩（Bill Duane）是其員工教育訓練的最高負責人，他在《Google 的正念革命》中被問及為何 Google 要以企業整體導入正念時，斬釘截鐵地回答：「因為正念對個人和企業都能帶來好處。」

其實，早在二〇〇五年，Google便開始實踐冥想，元老級工程師陳一鳴在其著作《搜尋你內心的關鍵字》（*Search Inside Yourself*）中提到，Google的員工每天必須挑戰艱難工作、面對壓力龐大的環境，而當初就是為了員工著想，才會開辦MBSR講座。

開辦MBSR講座的同時，陳一鳴也著手開發以正念為基礎的EQ培養訓練課程「搜尋內在自我」（Search inside yourself, SIY）。「鍛鍊EQ能有什麼幫助？」朋友這麼問起時，陳一鳴以像極了能幹商業人士的作風回答：「可以得到三個好處。」這三個好處即是「優異的工作表現、出色的領導本領、開創幸福的能力」

> 冥想，簡言之，就是注意力訓練。經過足夠的冥想訓練，注意力能夠文風不動，平靜且專注。注意力增強之後，心靈很容易變得同時放鬆又警覺，且能維持一段時間。放鬆和警覺在一起，就會衍生三種心靈神奇的特質：平靜、清澄、快樂。

陳一鳴開發出來的SIY當中，有一個最簡單的課程，只要花短短兩分鐘坐著就好。其簡便性和效果獲得支持，使得這個最初只有少數人參與的課程，成長為如今有約一〇%的

Google員工會加入實踐的課程。

人類的不快樂本質

日本預防醫學家石川善樹在日文版《連線》（*WIRED*）雜誌VOL.32的「數位健康」（DIGITAL WELL-BEING）專欄裡，分享了戰後日本的「每人平均GDP」及「生活滿意度」的推移表。根據該內容，戰後日本的每人平均GDP不斷往上攀爬，生活滿意度卻幾乎呈現持平的狀態。也就是說，儘管壽命延長、經濟發展，卻沒有為我們的人生品質本身帶來任何影響。包含美國在內，其他各國也可看見相同的傾向。普林斯頓大學的經濟學家阿蘭・克魯格指出，美國人雖然期望可以減少家事、工作等「消極活動」，進而增加學習、與朋友相聚的「積極活動」，但實際增加的，卻是看電視之類的「發呆時間」，且不分男女。

＊科學技術廳為日本曾設置過的行政機關，已於二〇〇一年與文部省（相當於台灣的教育部）合併為文部科學省，負責統籌教育、文化、科學、學術、體育事務。

於一九五六年設置的日本科學技術廳*，也針對「當生活變得便利、壽命因醫學發達而延長時可能帶來什麼問題」的假設，進行了查證。出乎預料地，查證後得到的答案是「無聊」。我們更進一步地回溯歷史來看時，也可發現有位哲學家曾一語道破現代人提升產能所得到的「無聊」，正是煩惱的本質。這位哲學家就是布萊茲・帕斯卡爾（Blaise Pascal）。帕斯卡爾在人類一大經典著作《思想錄》（*Pensées*）中描述到：

> 人類不快樂的唯一原因是，因為他不知道如何安靜地在他的房間裡。

帕斯卡爾寫到哪怕是「擁有世上最崇高地位」的國王也逃不過這個事實，人類所追求的不是結果，反而是刺激、興奮。消遣使得我們開心，並使我們不知不覺地走到死亡；帕斯卡爾的這句話可以讓人聯想到不少畫面。

事實上，日本隨著GDP急速攀升，帕斯卡爾所說的「消遣」，也就是日常性的娛樂產業也獲得急遽成長。以如今日本街上隨處可見的柏青哥店為例，其全盛時期的業績超越汽車產業，成長到三十兆日元的市場規模。電子競技表現活躍的全球電玩市場約達十六兆日元，且持續擴大中。智慧手機總是在人們的口袋裡不停閃爍，光是滑著手機畫面，就能夠讓一天的時間輕易溜過。如帕斯卡爾所說，「消遣」能夠輕而易舉地偷走我們的專注力。

我們拿東西擋住自己的視線，看不見懸崖後，我們就會無憂無慮地朝懸崖奔去。

——《思想錄》

我們的心不知正朝向何方奔去？

名為專注力的現代貨幣

根據哈佛大學心理學家馬修・基林斯沃思（Matthew Killingsworth）等人的研究，人類醒著時，除了約四七％的時間會實際從事活動，其餘時間都是在做某些思考之中度過。如同Google 那般優秀人才齊聚一堂的企業，也必須仰賴冥想來提升專注力，可見日常裡我們的意識總喜歡到處飄移。為什麼就是沒辦法專注於眼前的事情呢？有本書解開這個問題，表示答案就在我們的口袋裡。

瑞典精神科醫師安德斯・韓森（AndersHansen）在《拯救手機腦》（*Skärmhjärnan*）一書中指出，從二〇一〇年到二〇一六年之間，到精神科看診的瑞典年輕人遽增。

> 這時期的年輕人生活有了什麼最大的改變？那就是可以利用智慧手機上網。這個以往等同不存在的東西，變成了年輕人一天平均會花費四小時在上面的存在。

「人們一天平均碰手機兩千六百次，平均每隔十分鐘就會拿起手機。（中略）三人當中有一人（十八歲到二十四歲則是有一半的人）在半夜裡至少會查看一次手機」；經查證後，韓森發現人們的這般改變。

所謂的依賴症，是指儘管知道對自己有害，還是會忍不住反覆去做的症狀。醒著時，每隔十分鐘就拿起手機查看，平均一天花費將近四小時盯著螢幕看；這樣的表現要形容是已陷入依賴症一點也不為過。為什麼我們會無法自制而過度使用手機呢？針對這點，韓森以大腦的獎勵機制做了說明。

學習新事物時，大腦會釋放出名為多巴胺的中樞神經傳導物質。因此，只要取得新資訊，大腦就能獲得獎勵。也就是說，每次透過電腦或智慧手機連結到不同頁面時，大腦就會釋放多巴胺，於是我們就這樣愛上了按滑鼠的動作。不僅如此，比起現在看到的頁面內容，不確定下一頁內容的期待感會使得大腦的獎勵系統更加活絡。人類總偏愛「不確定的結果」，多巴胺的釋放量也會因此遽增。搞不好會有什麼驚奇事情發生！沒有什麼比這般期待感更能驅使大腦動作。韓森指出這道理就跟明明知道以長期的眼光來看會輸錢，還是戒不掉賭博一樣。

鑽研這般大腦的獎勵機制，並使出渾身解數促使依賴症得以發揮到淋漓盡致的，並非只有賭場和遊戲公司。如今，社群平台企業可說是當中的佼佼者。點開推特的應用程式時，一片藍色畫面中會看見振翅飛翔的白鳥慢慢飛近，直到白鳥大到填滿整個螢幕。這不是因為登入時間長，也不是網路訊號差，而是一種藉由讓使用者等待，來增添興奮感的技巧。

人們總是「想知道自己周遭人們的大小事」，臉書創辦人馬克・祖克柏（Mark Zuckerberg）成功使得人類的這般欲望網路化，更實現人們「想分享自己的大小事」的欲望，因此成功獲得地球上約每三人就有一人的關注。報章雜誌、電視、廣播電台、網路等所有媒體無不為了設法得到我們的關注，而展開激戰。

我們的意識越是飄移，行銷人就會把賭金抬得越高。臉書當初從一個學生宿舍的企劃起步，卻能夠只花費短短十五年便一手握住全球的廣告市場，原因就出在這裡。美國工程師羅森斯坦（Justin Rosenstein）巧妙抓住人類心理的脆弱面，開發出臉書的「按讚」功能，卻刻意設下限制時間，以免過度使用其自身的臉書。史蒂夫．賈伯斯對自己的十幾歲孩子，嚴格限制可使用 iPad 的時間，比爾．蓋茲也在孩子滿十四歲後，才開始讓孩子使用智慧手機。

智慧手機有著超乎我們想像的力量，即使轉為靜音模式收在口袋裡，仍不會失去其魔力。韓森曾以五百名大學生為對象調查記憶力和專注力，當時針對把智慧手機放在教室外的學生，以及轉為靜音模式收在口袋裡的學生進行比較後，證實了「只要有那麼一點點意識到智慧手機的存在，認知能力的容量就會減少」的事實。

此外，針對帶著智慧手機聆聽演講的參加者，以及把智慧手機放在會場外的參加者進行比較後，除了最初的十五分鐘，從演講中取得的資訊量也出現明顯的差異。如果要說我們每個人都中了智慧手機的魔，想必任誰也不會訝異，但二〇一七年十月所發表的史上最大規模網路使用狀況調查「瑞典人與網路」，還是會讓人倒抽一口氣。根據該調查結果，現狀就是月齡滿十二個月前的嬰兒當中，每四人就有一人早已開始使用網路，兩歲幼兒當中更是有一半以上的人每天使用網路。另外，七歲幼兒當中幾乎所有人每天都會使用網路，長大到十一歲後，有九八%的人持有自己的智慧手機。

額葉具有控制人類不衝動的能力，該部位會在二十五歲到三十歲才發育完整。也就是說，這個能夠叫我們不准看智慧手機的煞車器，在十幾歲時是完全失靈的。英國曾針對禁止使用智慧手機的國中，與未禁止使用的國中進行比較，比較結果發現一整年下來，兩者的學習效果出現將近一週的差異。儘管如此，我們還是繼續使用著智慧手機。原因究竟是什麼呢？

進化的神話眾所皆知。一般都認為所謂的進化即是進步，也就是朝向更卓越的方向邁進。有人認為智慧手機也是走向進化的過度期。然而，無尾熊的腦部大小，讓我們明白了進化未必就是往前邁進。

無尾熊的腦部沒有占滿顱骨的空間，其小小的腦部在大大的容器裡滾來滾去。無尾熊吃尤加利樹的樹葉、住在尤加利樹上，從早到晚只要一直待在尤加利樹上就好。隨著食性變得單調，無尾熊的腦部逐漸萎縮。無尾熊的腦部到底需要什麼呢？

人類天生就是要跑步？

有本書以科學方式證實了人類是一個生態系統，而我們的幸福與運動有著密切的關聯。這本書就是美國精神科醫師約翰・J・瑞提（John J. Ratey）與艾瑞克・海格曼（Eric Hagerman）的合著《運動改造大腦》（*Spark*）。

書中介紹了美國芝加哥所實施的教育改革，並以讓孩子運動可促使成績變好為開頭，以科學方式證實了運動不僅對身體好，更重要的是運動可促進大腦的形成、發育。另外，運動的效果不只發揮在大腦而已。

因壓力而就快陷入酒精依賴症的家庭主婦、因放棄跑步而得了憂鬱症的馬拉松跑者、受焦慮症所苦的女性主管、患有憂鬱症加上藥物依賴而自殺未遂的年輕人、失去親人的打擊造成免疫力下降而罹患疾病的醫師等，作者身為臨床醫生所面對了各種病患，並描述出病患如何透過運動逐漸復原的過程。

作者提到杜克大學的研究員在二〇〇〇年發表了「運動比藥物（鹽酸舍曲林）更能有效治療憂鬱症」的報告，並咬牙切齒地說著此「世紀大發現」只得到《紐約時報》在健康與運動專欄的小篇幅報導。作者以此發現為佐證，告訴我們不運動的生活會啃食人們的心靈，損及大腦的健康。

接著，瑞提也在《找回野生的自己》（*Go Wild: Free Your Body and Mind from the Afflictions of Civilization*）中深入探討大腦功能，並提起英國科學家丹尼爾・沃伯特（Daniel Wolpert）的質疑——為什麼人類要有大腦？我一邊閱讀內容，一邊思考出來的答案是「為了思考」，但正確答案是「我們持有大腦的原因只有一個，那就是為了可以配合狀況做出複雜的動作。除此之外，沒有其他任何原因」。

「我們所說的思考，是動作在進化過程中內化而成的。」瑞提引用紐約大學神經學家魯道夫．里納斯的發言，並一邊順著沃伯特的論點進行探討，一邊具體查證人類的大類是藉由動作而得以逐漸形成、成長茁壯的事實。除了前述的無尾熊大腦的例子之外，海鞘也是體現此論點的生物之一。海鞘持有未發達的神經系統，屬於原始海洋生物。出生不久的海鞘會為了尋找食物豐富的地方，而持續游泳。等找到適當地點並棲息下來後，海鞘就會吃掉自己的大腦。這樣的舉動是在表達「反正以後不用動也無所謂，所以也就不需要大腦了」的意思嗎？

以現實狀況來說，我們多數人生活在不用動的文化之中。只要一直握著智慧手機、電腦、電視遙控器，人們很容易就會忘記自己是天生會動的存在，也就是忘記自己是動物的事實。

比起四肢動物，人類的奔跑速度慢，也不能像猴子一樣迅速爬上樹。的確，人類發明出工具而君臨動物界。兩萬年前，人類發明出弓箭，長槍的矛頭在歷史上則是出現在二十萬年前。然而，我們的祖先「直立猿人」早在約兩百萬年前即已誕生。

這麼一來，只要單純計算一下，就會知道人類從誕生後到君臨自然界，中間間隔了約一百八十萬年。也就代表著將近一百八十萬年來，人類都是徒手捕捉獵物。可是，人類是怎麼做到的？除了發明工具，人類在遺傳上究竟擁有什麼優勢，能夠在弱肉強食的世界裡沒有走向滅絕？正面挑戰這個人類進化的最大謎題，並給了最佳答案的一本書，就是美國記者克里斯多福・麥杜格（Christopher McDougall）的《天生就會跑》（*Born to Run*）。

這本書很厚，但幽默感十足的筆風，加上學術性的細膩採訪，以及作者本身拋開運動鞋改以赤腳跑步，一路找出自己的新發現，整個故事的呈現讓我讀得驚呼連連。

本書中研究家們找出了一個單純的答案——人類能夠在其他動物會受到限制的條件下跑步。同時也提出幾百萬年來，人類就是藉由跑步建立進化的優勢，並漸漸形成大腦的「天生跑者論」。舉例來說，當馬兒全力衝刺時，一般可達到每秒七・七公尺的速度。不過，馬兒只能維持這樣的速度約十分鐘。在那之後，會減速為每秒五・八公尺。

另一方面，頂尖跑者能夠以每秒六公尺的速度，持續慢跑「好幾個小時」。也就是說，以數字來計算的話，「只要不跟丟了動物，人類可以在十分鐘內追上對方」。看見書中指出人類用來跑步的雙腳正是「動物界的必殺武器」時，我不由得發出驚嘆聲。書中也舉出人類如彈簧般的腿部、纖細的上半身、汗腺、無毛皮膚就是證據，並分析人類的直立身體較不容易蓄積太陽的熱度。

為了更進一步查證天生跑者論，研究家們不惜走遍天涯海角，踏上了蒐集證據之旅。然而，在世界各地持續進行調查的過程中，研究家們發現了天生跑者論的致命弱點。倘若天生跑者論是正確無誤的說法，就不會有考古學性的證據。原因是如果人類是跑步追上動物，再加以殺害的話，就不會有矛頭，動物背部也不會留下被長槍刺中的傷痕。意思就是，無論如何擴大範圍、如何深入且詳細地回溯歷史，也不可能找出天生跑者論的任何蛛絲馬跡，畢竟現在已經找不到任何屍體、武器或目擊者了。

大自然的呼喚聲

至於研究家們最終如何挑戰此進化論的完美犯罪，這部分就留給讀者們親自拿起《天生就會跑》來確認了。那麼，如果人類生下來就是為了跑步，為什麼會有那麼多人討厭跑步呢？對於這個理所當然會有的疑問，麥杜格分享了某研究家的謎題：

我們針對二〇〇四年的紐約馬拉松結果做了調查，並依年齡進行時間長短的比較。比較結果，我們得知一個事實，跑者們以十九歲為起點，每年的速度會變快，並在二十七歲時達到巔峰。過了二十七歲後，速度就會開始變慢。猜謎時間到！請問跑者們會在幾歲時恢復到十九歲時的速度？

我一邊閱讀，一邊猜測可能是四十歲左右。各位覺得是幾歲呢？正確答案竟然是六十四歲。所有運動競技從頭到尾看過一遍，恐怕很難找到六十四歲與十九歲能夠互相較勁的競技。人類不僅擅長耐力跑，還能夠極長久性地處於擅長的狀態。麥杜格還這麼告訴我們：

人稱迪普西魔人的超級馬拉松選手傑克．科克（Jack Kirk）總會這麼說，

人不是因為衰老，才停止跑步，而是因為停止跑步才衰老。

然而，在這裡又遇上了一個大問題。儘管人類的身體天生就是為了運動而設計，大腦卻是特別喜歡走捷徑。人類所持有的身心對立可沒那麼容易解決。對於這點，我本人也有深刻感受，比起跑步，我更禁不起想閱讀下一本書的誘惑。不過，有本書把「室內派」的我，帶出了戶外。這本書就是美國作家弗洛倫斯．威廉姆斯（Florence Williams）賣力採訪後所寫的《讓大自然為你創造理想大腦》（*The Nature Fix: Why Nature Makes us Happier, Healthier, and More Creative*）。在大自然之中走著走著，人們會莫名地覺得整個人清爽起來，而《讓大自然為你

創造理想大腦》以最新的研究，證實了這種看似毫無根據的感覺並非錯覺。

作者原本住在四周圍繞壯麗大自然的地方，後來隨著丈夫換工作而搬到大城市居住，漸漸地，作者開始受身心症所苦。這本書的劃時代觀點在於，作者認為其身心出狀況的原因，完全在於欠缺「大自然」。於是，作者調查大自然與腦部的相關科學研究，並展開走訪日本、韓國、英國、芬蘭、瑞典、新加坡各專家之旅。

透過這本書得知日本的「森林浴」為世界的頂尖研究後，我不禁感到興奮激動。作者根據世界各國的研究，一一解開大自然與腦部的關係，在分別進行科學查證後，得知就聽覺來說，「風聲」、「水聲」和「鳥鳴聲」是前三名有益健康的聲音。就嗅覺來說，雨後從地面竄出來的那股土味，也就是造成土味的物質「土臭素」具有治癒效果。至於視覺方面，存在大自然中的「碎形」（Fractal）具有鎮靜人心的效果。

此外，作者在書中描述其親身體驗的同時，也寫出人們只要在大自然之中待上十五分鐘，血壓和壓力就會降低；待上四十五分鐘後，認知功能、活力、深度思考力就會增加；若是待上三天的時間，創造力竟能提升五〇％的驚人報告內容。

科技的進步即是該時代的人們自身。事物一旦形成，就無法回到該事物不存在的過去。正因為如此，若能在一個月裡騰出短短五小時的時間，讓自己享有在大自然之中度過的時光，光是如此就能使自己的人生變得豐富，提出這般論點的《大自然治癒力》（*The Nature Fix*），無疑是現代的福音。

為了在充滿壓力的現代存活下去，而藉由讓意識集中在「當下」來幫助排解不安和壓力的正念冥想，也算是一種心靈的運動。美國醫學博士揚・喬森・貝斯（Jan Chozen Bays）寫了一本《如何練習讓意識集中在「當下」？》（*How to Train a Wild Elephant*），這本書的目次被設計成就像一份年度計畫，只要持續每週閱讀一個章節，一年後就能成功實踐整本書的內容。我也試著持續每週閱讀後，一點一點地順利消除了日常生活所累積下來的不安情緒。

另外，如同瑞提在《找回野生的自己》中所做的探討，不只有運動，正念、飲食、睡眠、思考、生存方式全都彼此串連，並且對我們的健康與幸福造成極大的影響。當中尤其是《運動改造大腦》、《天生就會跑》、《大自然治癒力》這三本書，堪稱可以讓一個人的人生在閱讀後大大改變的三大神書。我因為邂逅了這三本書，現在養成了每週都會到公園散步，以及每次閱讀前都會先做運動的習慣。

正念冥想也好，運動也好，接觸大自然也好，這些都是為生存在現代的我們而有的處方箋。請各位在閱讀完這一頁後，也以自己的人生去做這些嘗試看看。我保證，一定會有效的！

第7章

從閱讀中思考死亡

我自認一路來閱讀了不少書籍。

不僅閱讀，我也取得圖書管理資訊的資格，也以自己的方式針對書籍體系和查詢方法一路做了學習。不過，在我從事書店員工作的第一年，即察覺到一個事實——不論閱讀再多書、再怎麼增廣見聞，還是有給不出答案的問題。

「我的好朋友因為小孩不幸遭遇意外死亡，已經將近一整年都踏不出家門。你能幫我挑一些可以激勵這個好朋友的書嗎？」

一位客人這麼問我時，我不禁擔心起自己未來能否持續這個工作下去。因為儘管我做了許多學習、累積許多資歷，腦海裡卻浮現不出任何可以回答這個問題的想法。

然而，看見陷入煩惱的客人就在眼前等著，我怎能什麼也不回答。我努力地思考。我思考、查詢、找書，一心想要找出什麼答案來，無奈還是給不出任何答案。聽客人描述得越多，我越是覺得不能輕率回答這個問題，更何況原本就回答不出答案來。最後，身為書店員，我沒能提供任何服務，只能一直默默聆聽客人說話。在那之後，這位客人仍會不時光顧我們書店，我們也會彼此分享自己查到什麼或閱讀過什麼書，持續交換資訊。有一次我告訴客人附近的大學有一位傷慟療癒（Grief care）的專業老師，後來客人拿著採訪報導的剪報來給我。

「謝謝你介紹了一位好老師給我。」

聽到這句道謝話語之後，我和這位客人便失去了聯絡。差不多有半年的時間，我就這樣一直沒有機會與這位客人交談，直到某天我在櫃檯敲著收銀台時，恰巧又遇到了這位客人。

「最近有什麼有趣的書嗎？」我主動搭腔問道。

「我最近迷上直木賞的作品，小說果然還是很有趣。」

看見客人面帶笑容地這麼回答我，我不禁覺得開心。雖然沒有得到什麼直接的答案，但我鬆了口氣地心想客人的那位朋友狀況或許已經好轉。只是，目送客人離去時，我還是忍不住思考起自己到最後什麼忙也沒幫上的事實。於是，我告訴自己，下一次又遇到客人提出相同問題時，至少希望能夠回答些什麼。

這天，客人給了我一個大課題——對人類來說，何謂死亡？在人類身上，能夠用上「絕對」這個字眼的，頂多只有「生」與「死」，像我，也絕對會死。我的父母、家人、小孩、朋友，每個人都會死。世上沒有人不會死。

不過，隨著醫療發達、科技進化，圍繞「死亡」的環境和概念持續在改變。澳洲科學家兼創業家大衛．A．辛克萊（David A. Sinclair）在《可不可以不變老？》（*Lifespan*）一書中，做出預測表示被大家認知為任何人都逃不過的「老化」是一種病，而且在未來會是可治癒的疾病。還有一位英國科學家彼得．史考特–摩根（Peter Scott-Morgan）。彼得與英國物理學家霍金（Stephen Hawking）同樣罹患了絕症ＡＬＳ（Amyotrophic lateral sclerosis，肌萎縮性脊髓側索硬化症），某天突然被迫必須面對極度嚴重的身體障礙，於是彼得選擇運用尖端科技，將自己的身體改造成賽伯格（Cyborg）。在自傳《我是賽伯格——彼得 2.0》（*Peter 2.0: The Human Cyborg*）中，彼得賭上自身的肉體和人生，從根處去推翻「對人類而言，何謂死亡」的定義。既然逃不過死亡，至少在那一天到來之前，以自己的方式去思考死亡；我抱著這樣的想法，開始在書架上找書閱讀。

何謂死亡？悲傷的五個階段論

有一本以死亡為主題所寫的暢銷書，絕對不能從書架上撤除，其標題為《論生死與臨終》（*On death and Dying*）。這本書被稱為臨終護理的聖經，也是以「悲傷的五個階段」論一躍成為國際知名精神科醫師伊莉莎白・庫伯勒－羅斯（Elisabeth Kübler-Ross）的代表作。羅斯前往科羅拉多大學赴任後，被精神生理學研究所的所長指名擔任其授課的代課講師一事，促成了這本書誕生的契機。

所長給了羅斯兩週的時間準備講課內容，主題則是自由發揮。

羅斯原本負責在大學附設醫院替病患巡診，現在所長難得給了她這個機會，於是不斷思考自己想要讓未來立志成為醫生的學生們知道些什麼；羅斯在其自傳《天使走過人間：生與死的回憶錄》（*The Wheel of Life - A Memoir of Living and Dying*）中這麼描述過她當時的想法。

> 有一天，我心中突然冒出了答案：死亡。每一個病人和每一位醫師都會想到死亡。大多數人害怕死亡，但早晚每個人都必須面對它。這就是醫師和病人之間的共同點，它極可能是醫學上最大的奧妙，同時也是最大的禁忌。

為什麼在大學附設醫院，談論死亡這件事會被視為禁忌？答案是醫院不是讓病患喪命，而是讓病患重生的地方。羅斯在承受大學和醫院相關人士的冷眼看待之下，獨自針對死亡展開調查。首先，羅斯前往圖書館，在書架上查看。然而，書架上淨是與宗教或社會學性主題有關的書籍，羅斯沒能夠找到任何文獻正面論及現實中就在眼前發生的臨床死亡。該怎麼做才能讓學生們知道發生於醫院第一線的真正死亡？苦思不出答案來的羅斯持續在醫院裡巡診，她來到一名因為罹患白血病而總是必須與死亡對峙、名為琳達的十六歲少女的病床邊，傾聽少女說話。

這天，琳達傾訴著對家人的不滿。琳達的母親在報紙刊登廣告，呼籲讀者們為她的女兒寄送最後一次生日的生日賀卡。看見大量生日賀卡寄到醫院來，琳達失望極了。因為琳達真正想要的，不是陌生人寄來的善意生日賀卡，而是希望父母來醫院探病。聽著琳達的話語，羅斯忽然靈光一閃。我知道了！讓琳達來說給大家聽就好了！就請琳達把一六歲就必須面對死亡卻不敢說給母親聽的心情，說給未來將成為醫生的學生們知道！羅斯立刻詢問琳達的意願，琳達點頭答應了。於是，讓死亡逼近在眼前的病患本人來談論死亡、僅限一次的授課就這樣展開了。

琳達穿著漂亮的衣裳，頭髮梳得整整齊齊，坐在輪椅上向學生們道出自己的話語。琳達說話之間，豎耳傾聽的學生們幾乎每個人都保持著沉默，課堂接近尾聲時，學生們紛紛淌下了淚水。大家不是身為學生，也不是身為未來的醫師，而是身為一個人無法克制地產生共鳴。一六歲女孩面對無法逃避的真實死亡，其分享心情的授課引起莫大的迴響。校方決定讓羅斯繼續授課，日後更發展成以「死亡與其過程」為標題的定期研討會，不僅學生，也受到每天必須面對死亡的第一線人員、護士、牧師、猶太教拉比、社工等對象的熱烈支持。

持續授課的過程中，羅斯察覺到一件事實。也就是瀕臨死亡的病患，都一定會經歷相似的心理過程。

一開始會先經歷打擊與否認、生氣憤怒、怨天尤人、痛苦。接著會開始與上天討價還價。然後開始沮喪地問著：「為什麼偏偏是我？」沮喪到最後，開始與他人保持距離，封鎖起自己。經歷這個階段後，順利的話，就能迎向冷靜與接受的階段（後略）。

羅斯在《論生死與臨終》中，整理出她發現的「悲傷的五個階段」論之後，得到世界各地的迴響，成了暢銷書。精神醫學在「死亡」這個人類最大的謎題上，開闢出一條新的地平線。一九六九年十一月二十一日，《生活》雜誌做出專題報導後，來自全美各地的諮詢如雪花般飛來，羅斯也一躍成為國際知名人士。

閱讀羅斯的自傳時，真正讓我吃驚的是，羅斯在這之後的人生故事。說來慚愧，當初我並不知道羅斯在享有名聲後，走過什麼樣的人生。

隨著羅斯的名聲越打越響亮，院方開始出現譴責的聲音：「我們醫院因為病患死亡而變得有名。」外部人士將羅斯看待為死亡學的先驅、臨終醫療的第一把交椅，但羅斯卻得不到醫師同事們的協助，在醫院裡漸漸失去立足之地。儘管如此，羅斯還是沒有放棄對死亡的探求。探求完「死亡過程」後，羅斯接著開始探求「死後世界」。從這時期，羅斯開始會積極地談論靈異現象的體驗。像是會讓人有些懷疑其真實性的精靈照片或遇鬼體驗，還有招魂體驗、通靈、靈魂出竅之類的神祕體驗深深吸引羅斯，比起聽家人說話，羅斯更熱中於傾聽靈界的話語。

後來，志氣相投且同樣身為醫師的摯愛丈夫提出離婚，也拋棄了羅斯。羅斯投入私資成立了療癒中心，卻遭到信賴的靈媒背叛，最後失去療癒中心。後來，儘管經歷過詐騙、殺人未遂傷害、縱火傷害等煎熬經驗，多次引發腦中風，身體也無法自由動作，羅斯還是堅毅地表示「唯有逆境可使人變得堅強」，持續傳達著「宇宙意識」的教誨。直到離開人世的那一天，羅斯從未放棄自己所深信的世界。

對於臨終醫療的第一把交椅羅斯的後來人生，《論生死與臨終》的讀者們是抱持否定的態度來看待之。我在閱讀自傳時，也有種不小心看了不該看的東西的感覺。尼采曾在《善惡的彼岸》中，這麼說過：

> 與怪物戰鬥的人，應當小心自己不要成為怪物。當你遠遠凝視深淵時，深淵也在凝視你。

死亡是最貼近我們的主題，但或許也是一個深不見底的深淵。

「死亡」課

一名美國學生在大學一年級時被宣告罹患癌症，只剩下兩年的壽命。剩下的兩年時間該做什麼才好？學生被迫面對突來的難題，最後做了什麼選擇呢？出乎預料地，答案是「取得學位」。

面臨死亡的這位學生上了很多課，其中之一是耶魯大學哲學家謝利．卡根（Shelly Kagan）所開設的「死亡」課。這堂哲學課也被出版成書，標題為《令人著迷的生與死：耶魯大學最受歡迎的哲學課》（*Death*）。死亡哲學課的特別之處在於，挑戰能否在不仰賴基督教或佛教等宗教之下，單純僅以「理性」來談論「死亡」。庫伯勒．羅斯後半人生所面對的超自然現象，也被謝利視為了調查對象。

想要說明瀕死體驗、招魂術、與往生者溝通，必須先有「鬼魂的存在」；謝利在這樣的假設之下，針對「鬼魂」進行理論性的研究。舉例來說，在調查瀕死體驗時，謝利針對肯定「鬼魂的存在」的二元論者觀點，以及根據物理性、生物學性過程的見解，進行雙方的比較研究。「什麼是瀕死體驗所產生之現象的最佳說明？」接著從這樣的觀點，來判斷哪一方「具有可認同性」。

徹底調查人們所說的瀕死體驗時會發生的各種現象後，謝利得到的結論是，比起肯定鬼魂的存在，從人類在死亡逼近時身體和大腦所承受的心理創傷壓力、特定的腦內啡分泌、掌控視覺的大腦部位受到刺激等觀點來說明這些現象，其可認同性更高。哲學書通常會寫出贊成與反對的雙方觀點，作者也不會表態出中立的立場，讓讀者就這麼被懸在半空中，但謝利的這本書表態出「筆者把自己所認同的見解實際說給讀者聽，並提出贊成該見解的理由，盡最大努力去擁護該見解」的立場，讓讀者能夠一邊與在書本另一端的作者對話，一邊閱讀。面對誰也無從得知起的「死亡」，謝利在致力於保持立場公正之下，一張一張地掀開神祕面紗的授課，確實讓我閱讀得情緒激昂。

當然了，並非只有哲學家們才會調查「死後的世界」。

日本宇宙物理學家大栗博司與日本佛教學家佐佐木閑的對話《探究真理》中，也談論到了「死後的世界」。大栗博司一貫地以科學觀點表示：「我認為死後的世界幾乎是可以被否定的。雖然目前還沒有解開意識如何產生的機制，但肯定是來自受到自然法則控制的大腦作用。如果認同早已被證實的自然法則，就會清楚知道蓄積在腦內的資訊，沒理由在死後仍繼續被保存著。」大栗博司如此斬釘截鐵地否定「死後的世界」後，才詢問佛教學家佐佐木是否相信死後還會有自我的存在？佐佐木給了明快的答案：

我不相信。因為釋迦牟尼佛告訴我們，我們的存在不過是一些單純物所構成的鬆散聚合體，而這個聚合體會在重生、死亡之際聚散離合，也就是輪迴。這裡面不會「自我」這個不變的實體。在佛教裡，稱之為「諸法無我」，並且認為如果沒有業力，「我」因為死亡而消散後，照理就不會重新聚合，但這時業會發揮作用，再以不同的形態形成「我」，因此才會不停地輪迴。剛剛說的「我們不過是單純物構成的聚合體」這個概念，是釋迦牟尼佛的獨自觀點，我相信這個觀點。

這麼一來，如我剛剛所說，我不相信業或輪迴這些現象，因此以結論來說，「我」這個存在會是一個「不可能重新聚合、由單純物所構成的鬆散聚合體」。這代表著，我沒有死後的世界。

宇宙物理學家與宗教學家展開一場跨領域的議論內容，讓我為之震撼。將世界分為「物質」和「精神」來思考時，自然科學會以物質作為調查對象，佛教則是著眼於精神勝於物質。佐佐木在《佛陀玩科學》一書中，為這般宗教與科學之間的隔閡，從腦科學的觀點架起了一座新的橋梁。本書更進一步地透過釋迦牟尼佛所提倡的法則性，在不使用到超凡者或奇蹟等超常元素之下，顛覆了「死後的世界」這個超自然世界觀。

那麼，如果說死亡是一種現象，世上沒有死後的世界和鬼魂的存在，又該如何解釋我們所嘗到的喪失感和悲傷滋味呢？

詩人在失去摯愛時，如何描繪世界？

德籍猶太人班雅明（Walter Benjamin）以「浪漫派天才」來稱呼德國詩人諾瓦利斯（Novalis），這位浪漫派天才痛失最愛的未婚妻時，以「對我而言，整個世界已經隨她死去」來表達其悲傷，讓人十分揪心。諾瓦利斯獻給未婚妻的長篇詩《夜之讚歌》（*Hymnen an die Nacht*）之美歷經數百年的歲月，依舊光輝不滅。一行又一行的詩句流瀉出失去心愛的人的悲痛，反而讓人覺得摯愛的死，似乎帶給了詩人力量。

> 充滿生命力的光啊，你喚醒疲倦的人起來工作——把活潑的生命注入我的身體——然而，你無法將我從布滿追憶青苔的墓碑前拉開。（中略）我藏起的內心裡，仍然忠誠地固守著夜和她的女兒那得到的愛。（中略）能夠使我們瘋狂（賦予我們靈感）

的一切事物，是否都失去了夜的顏色？夜慈母般地懷抱著你，你把所有威嚴榮耀歸於她。

諾瓦利斯二十九歲即英年早逝，《夜之讚歌》是他生前唯一親自發表的詩作。失去未婚妻的悲傷，以及表達其悲傷的對夜的想法，為諾瓦利斯的詩帶來了莫大的力量。諾瓦利斯的詩讓我們知道原來人生裡，有些境界必須是體驗過極度悲傷者才到達得了。這樣的體驗當然不是只有諾瓦利斯經歷過。沒有人不會不因為與父母、配偶、孩子、情人哀切至極的離別而痛苦。對這份讓人哽咽而說不出話來的情感，一直以來人們也不會只寫下悲傷兩字，而總是會用盡言語刻劃在詩句或故事裡。

日本詩人兼評論家若松英輔在《不同顏色的悲傷》中，像忍著就快讓人失去理性的劇烈哀傷、忍著慟哭似地，去面對古今名著。若松踏入社會後，在進公司服務第七年，獲得最優秀業務員的表彰，三十　時被提拔擔任新公司的董事長職務。然而，這位詩人回顧起當時表示，在其十二年的上班族生涯裡，最重要的不是升遷，而是降職。若松因為犯了好幾次嚴重失誤而遭到免職，失去了周遭人們的信賴。失去一切的若松，閱讀了日本翻譯家脇明子所翻譯的英國作家查爾斯・狄更斯（Charles Dickens）著作《小氣財神》（*A Christmas Carol*）。小氣財神是一個描述本是守財奴的主人翁在一次聖誕節時被喚醒內在的善心，決定重新做人的故事。回想起當時，若松說自己豎耳傾聽書本的聲音，把自己的人生投射在故事裡來閱讀經典著作後，才明白了一件事。

> 被稱為經典著作的書籍實為奇妙。這些書總是像為了傾訴給多數人聽而寫，同時也像是一封寄給每位讀者的信。
>
> ——《不同顏色的悲傷》

詩人收到的信有神谷美惠子的《心之旅》，有原民喜的《小說集：夏之花》。詩人還收到了池田晶子寄來的《很多事情都是理所當然》，也邂逅了鈴木大拙所翻譯的《禪的第一義》（*The Primary Purpose of Western Zen*），也在書架排上了《岡倉天心全集》。讀書者的特權就是，有機會一窺持續在閱讀的人擁有什麼樣的人生書架。若松讓我們知道書不是讀完一本就算完成，而是透過持續閱讀而串連在一起、由讀者去完成的東西。

法國哲學家沙特（Jean-Paul Sartre）在《文學與存在主義》（*What Is Literature?*）中提到：

創作只能在讀書之中完成。藝術家對自己著手的工作，只能交由他人去幫忙完成，也只能透過讀者的意識，去思考自己的作品本質何在。因此，所有文學作品都是一種呼籲。所謂的寫作，是指以語言為手段，將自己計畫好的公開內容化為客觀性的存在，來呼籲讀者。

若松在《不同顏色的悲傷》中，向讀者呼籲其自身的深刻喪失體驗。閱讀這本書讓我察覺到當我們翻開書本閱讀時，其實不是在閱讀書上寫的故事，而是在聆聽透過閱讀而湧現的自我內心聲音。若非如此，就讀不到本書的精華章節「她」的故事。這本書最了不起的一點是，不讓讀書只在作者的悲傷之中結束。這本書如同我們的人生，可以讓我們在辛苦爬上陡坡後，看見前方的景色在眼前展開。如果要說深夜是諾瓦利斯的力量來源，若松英輔的力量來源會是因書本的光芒而發亮的稜鏡。

只要活在世上，我們一定會失去某人。我們會遭遇與無可取代的人、心愛的人、家人、朋友的死別。不是每個人都能在讀完所有想閱讀的書、做完所有應做的事之下，離開這個世上。我們勢必走向死亡。不過，不會因為死亡就消失一切。如同拿起愛看的書閱讀，在讀完最後一頁後仍會持續留在讀者心中，深刻的悲傷也會留在人們的心中。被寫下的話語宛如紀念碑般，一直聳立在我們的眼前。

為什麼人們要為了死亡哀悼？

失去重要的人時，除了悲傷還是悲傷。日本心理學家河合隼雄在《榮格心理學與佛教》中寫到，這裡指的不是「個體」，而是當「人類」面對死亡時，「悲傷」會在其情感之河流動。不過，只有人類才擁有這樣的情感嗎？

《為死亡哀悼的動物們》（*How animals grieve*）一書中，舉出許多讓人深感興趣的案例。美國自然人類學家芭芭拉・J・金（Barbara J. King）語帶保留地表示推測動物是否會感到悲傷的手法不算完美，但還是證實了社會性高的鳥類和哺乳類，具有會因為同伴之死而悲傷的能力。芭芭拉・J・金將動物的悲傷定義為「與對自己而言是無可取代的同伴死別後，該動物明顯表現得意志消沉，或做出異於平常的舉動時，即代表具有悲傷能力」，並且反覆進行實地調查。雖然這還是個問世不久的研究領域，但芭芭拉・J・金試圖為動物們的情感賦予詞語的誠摯研究家態度，深深感動了我。

尋找肉親遺骨的大象、陪伴失去孩子的海豚媽媽而一直停留在相同海域的海豚群、宛如追隨死去的母親般衰弱而死的黑猩猩；芭芭拉．J．金持續做著觀察，並提出疑問——為什麼動物們會如此悲嘆不已？

如芭芭拉．J．金的觀點，如果其原因是來自對死去同伴的情感，愛與悲傷的情感就會是具自我認知的聰明動物，歷經高密度社會的生活後所產生的「副產物」。與這個「副產物」相處最久的生物不是其他什麼動物，正是我們人類。人類透過語言共享愛和悲傷的情感，並使其昇華為概念、文化。動物與人類之間有著兩大關鍵性差異，一個是人類知道絕對逃避不了死亡，另一個是人類會以群體來埋葬亡者。

根據《新科學人：起源圖鑑》（*New Scientist The Origin of (almost) Everything*）的說法，人類最少早在十萬年前就會舉辦喪禮。如果把時間往後推到一萬四千年前，人類已經開始會把幾乎所有往生者，埋葬在我們可認知是墳墓的地方。還有值得一提的一點，人類在這時期也開始會定居，也已經發展起農業和宗教的文化。也就是說，人類隨著發現死亡，也促使文化和文明產生極大的改變。神話、文學、圖畫、音樂、戲劇、電影、藝術、料理；這些人類一路架構過來的所有表達中所蘊含的想法，持續為人類的歷史注入全新的光芒。看著這綿延不斷的送葬隊伍，我甚至覺得死亡不見得全然是壞事。

然而，有本書指出活在現在的我們，逐漸遠離一路並肩走來的亡者們。這本書就是日本政治學家中島岳志所寫的《保守與立憲》。

如標題《保守與立憲》所示，這是一本關於政治的書。簡單來說，這本書是在向活在現代的日本人，大聲呼籲保守其實並非反自由主義，也不是左派或右派。中島指出，在日本，尤其是基於政局考量之下，總會將「保守」與「自由主義」看待為對立的思想，但只要回顧歷史，就會發現兩者反而有許多重疊之處。那麼，憑什麼能說保守正是自由主義呢？中島把西班牙哲學家奧特加．加塞特（José Ortega y Gasset）的「亡者」概念，視為此思想的核心。奧特加在《大眾的反叛》中這麼寫到：

> 我們現代人會覺得自己像是突然被孤零零地留在大地上。意思就是，我們會覺得亡者們不是假裝死去，而是已徹底死去，所以不會再來拯救我們。傳統精神已經蒸發不見，範本、規範、基準幫不上我們的忙。我們必須在沒有過往的積極協助配合下，在現代這個時間點解決自己的問題——可能是藝術、是科學，也可能是政治。歐洲人是孤單的，已經沒有活在我們身邊的亡者。

中島引用奧特加的這段話，訴說著人們過去一直是透過「傳統」與亡者連繫、透過「常識」與亡者對話。活在現代社會的我們擁有前所未有的資產、知識、技術，卻遭遇前所未有的不幸，其原因就出在「斷絕了與歷史的連繫」。我們之所以孤單，是因為「現代殺死了陪伴在我們身邊的亡者」。那麼，該怎麼做才能與亡者一起生存下去？為了找出一條指引我們的道路，中島著手調查震災。

一名阪神・淡路大地震的受災者老婆婆，在瓦礫堆中忘我地不停翻找「牌位」。因震災而失去妻子的老爺爺每天放「風箏」，因為那讓他覺得像是與妻子牽著手。在日本東北大地震方面，中島也描繪了將牌位放進背包裡行走的受災者身影，並深入思索在過分嚴酷的災難中，會不會就是亡者為生者帶來支持力量？會不會就是亡者在背後推一把，讓生者好好活下去？這股亡者的力量究竟是什麼？在眼睜睜看著家人被海嘯捲走的殘酷狀況下，陷入甚至找不到話語可說的絕望之中，人們仍試圖組織出話語來。

重要的人死去是喪失，同時也是新的邂逅。死亡絕不會只帶來絕望。人類透過與亡者的溝通，能夠活出新的人生，相信亡者也會在一旁溫暖地守護著。亡者會陪伴著我們一起活下去。

儘管是一本政治思想的書，卻深深觸動了我的心，我想這或許是因為我也是阪神・淡路大地震的受災者之一。一九九五年一月十七日，我一如往常地起床準備去上學時，家門扭曲變了形。我轉開水龍頭後，不曾見過的鮮紅色水不停湧出，急得拚命鎖緊水龍頭。我就讀的國中校舍倒塌了一半，好不容易等到學校修復好再回去上學時，發現有些同學沒能一起畢業。我的祖母被壓在倒塌的房子底下，沒能獲救。每年只要一月十七日到來，漫無邊際的記憶就會一點一點地浮現我的腦海。

如中島所說，我們是在活在過去的亡者們一路鋪蓋的道路上向前邁進。我們能否與亡者一起走過人生呢？

死可以讓我們學習到什麼？

美國作家米奇・艾爾邦（Mitch Albom）一心只想賺錢，也身為運動專欄作家闖出了名聲。星期五的深夜裡，米奇漫不經心地轉著電視頻道時，美國最有名的訪談記者，他的聲音突然傳進耳裡：

「墨瑞・史瓦茲（Morrie Schwartz）是誰？」

米奇看見恩師完全變了樣的身影，出現在電視螢幕裡。事隔十六年所看見的恩師罹患了絕症ALS（肌萎縮性脊髓側索硬化症），連走路都有困難。恩師以自己的死亡當題材，在全美的電視觀眾面前，訴說迎接死亡是怎麼一回事，以及在那之前應該先了解些什麼。一方面因為作者自身的人生也遭遇瓶頸，所以心情怎麼就是無法平靜下來，最後決定前去拜訪距離遠在一千哩外的恩師。

「你終於回來了。」事隔十六年後與恩師重逢，米奇沒料到能得到恩師溫暖的迎接。另一方的米奇感到羞愧，他知道若不是因為看見電視節目的播出，自己根本也不會來向病床上的老師打招呼。然而，老師一點也不在意，並且在絕對稱不上絕佳的身體狀況下，忍受著不停襲來的痛楚告訴米奇：「我有話想跟你說。」然後，就這麼聊起了人生價值。

> 我們國家進行著一種洗腦（中略）你知道他們怎麼洗腦嗎？他們把某件事一說再說、一再重覆，我們國家做的就是這碼子事。擁有東西是好的，賺更多錢是好的，置產愈多愈好，商業行為愈多愈好。多就是好。（中略）
>
> 我這輩子不管在哪，碰到的人都是想東想西、要這要那。想要一輛新車、想要一

間新房子、想要最新的玩具。然後他們會迫不及待地向你炫耀。（中略）

你知道我怎麼解讀這情況？這些人都是渴望為人所愛，才拿這些東西作替代。他們擁抱物質，以為這樣自己就獲得擁抱，但這樣做沒有用。物質的東西永遠無法取代愛，或是溫柔，或是親切，或是同胞手足之感。

金錢無法替代溫柔，權力也無法替代溫柔。我坐在這裡，離死不遠，可以坦白告訴你，當你最需要溫柔的時候，不論你有多少的金錢或權力，都無法給你那種感覺。

那要怎麼做才能逃離這樣的生活？墨瑞給了很簡單的答案。「不吝將自己擁有的東西與人分享。」分享自己的時間、關懷，與人交談，光是如此就夠了。做這些分享不會有任何金錢或物質可以介入的空間。米奇又問了墨瑞若是有一天時間健健康康的，會做些什麼？墨瑞這麼做出回答：

「我想想看……我會早上起床，做做運動，吃頓甜餅配茶的美好早餐，出去游個泳，然後請我朋友來吃頓愜意的午餐。我會叫他們每次一、兩個人分批來，好讓我們談他們的家庭、他們的問題，談我們對於彼此的意義。

然後我會出去散散步，去林木扶疏的花園，看著紅花綠葉、看著禽鳥飛翔，欣賞我許久未見的大自然美景。

傍晚我們一起上館子，吃美味的義大利麵，也許再來些鴨肉——我喜歡鴨肉——然後我們整晚勁舞狂歡。我要和所有的舞伴飆舞，直到我精疲力盡。然後我回家，倒頭睡上一個好覺。」

就這樣？

「就這樣。」

墨瑞以自身的死為開端，告訴最疼愛的學生再普遍不過的一天可以如此多采多姿。我們平常總是過得忙碌，被工作追著跑，沒能從容不迫地好好感受日常的生活。如一片珠寶般閃耀刺眼的一天明明就在我們的眼前，我們卻不會好好去感受這一天，這究竟是為什麼？墨瑞讓我們知道了平凡中的非凡，以及可使人與人串起關係的感情之深。在墨瑞深深的愛的推動下，米奇・艾爾邦為了幫忙負擔墨瑞的醫療費而開始寫書。其成果就是只有兩人的《最後十四堂星期二的課》。本書一出版即抓住無數讀者的心，在世界各地突破了一千六百萬本的發行量。

從死的角度凝視世界

死亡世界是沒有一絲光芒的黑暗世界。沒有人能夠從這個黑暗世界活著回來。不過，有本書帶領我們踏上前往這未知黑暗大陸的大膽冒險之旅。這本書就是日本學者藤原辰史的著作《分解哲學》。

藤原辰史把焦點放在我們平常會忌諱、會因為不想去看而選擇遠離的生物死後世界，也就是「腐敗」上面。本書以《古事記》中描繪「腐敗中的生成」之大氣津比賣神*故事、描繪逐漸腐敗之裸露屍體變化的「九相圖」†為開頭，針對納豆、堆肥的製作、土葬等就在我們周遭卻不容易看見之處會發生的現象進行調查，追查出維持生命運作的本質，是由「腐敗、分解、崩壞」所形成的事實。

我們所生活的世界是破裂的過程，也就是說我們不過是活在分解過程中，利用當中的存在製作些什麼的行為，不過是在分解過程中繞遠路或到某處逗留，被製作出來的東西也不過是其副產物。受精卵是從一個細胞開始一個接著一個分裂而成長，嬰兒是因為起身踏上開始把油垢、體液、糞便尿液往地面上丟，慢慢走向肉體崩壞之旅，而受到大家的祝福。與其說出生時已走向分割與崩壞，或許以開始分割崩壞來形容出生會更加貼切。意思就是，我們不是活在加法、乘法的世界，而是活在減法、除法的世界。

作者不僅試圖轉換讀者的世界觀，也開啟了通往不同世界之門。

土壤是所有陸地生物的墳場。因生命過程畫下休止符而崩落在土壤上的屍骸或剝落的部分肉體，將會被無數微生物、昆蟲、節肢動物們啃噬、消化、排泄、分解，化為其他生物的養分。大海亦是如此。大海是所有海洋生物的墳場。因生命過程畫下休止符而崩落在大海裡的屍骸或剝落的部分肉體，將會化為無數海洋生物的食物。在這裡，沒有任何道德或悲傷可介入的空間。

* 大氣津比賣神為日本神話裡掌管食物的女神。

† 九相圖為日本繪畫題材，是按墓園九相畫出九個屍體腐化的過程。

藤原一刀兩斷地把原子核和塑膠歸類為滑溜光亮的「非腐敗物」，並重新定義死亡不是結束，也不是超自然現象，而是從貼近生活的具體現象展開世界。藤原所架構出的這般世界觀，無疑是新哲學的起步。隨著作者所做的整理，往下探究這深奧的世界後，看見了生命的故事從腐敗之中湧現。

美籍德裔動物學家貝恩德・海因里希（Bernd Heinrich）經常在山野裡觀察死去動物的屍體，他在《生命的涅槃：動物的死亡之道》（*Life Everlasting: A Definitive Study of Life After Death*）一書中，詳細描述了在大自然之中，死亡是多麼值得慶祝的一件事。貝恩德・海因里希在書中提到自己會察覺到這件事，是因為收到在死亡邊緣徘徊的朋友寄來的一封信。

> 嗨，貝恩德，
>
> 我被診斷出得了重病，因為怕自己萬一比預期中更早死掉，所以我正在努力做準備，這樣到時候就有人可以幫我安排後事。我希望可以自然葬——什麼埋葬也不做。畢竟現在人們都不認為埋葬是通往死亡的入口。
>
> 只要是優秀的生態學家，都會認為死亡代表著轉換成其他種類的生命，而我也這麼認為。死亡更是一場瘋狂的慶祝重生派對，而這場派對的主辦人會是實質的我們。

在大自然裡，動物們會橫躺在死亡的地點，就這樣讓自己置身於食腐動物的循環之中。結果會怎樣呢？就是高度濃縮的動物養分，會被蒼蠅或甲蟲等大群生物帶走，撒落到整片地面上。

死亡不是終點，而會成為出發點讓生命傳承到下一個生命，這整個過程將會在土壤裡完成。美國地質學家大衛・R・蒙哥馬利（David R. Montgomery）與美國生物學家安妮・比克爾（Anne Biklé）夫婦所寫的《土壤與內臟》（*The hidden half of Nature*），告訴我們這個肉眼看不見的微小土壤世界正掀起著革命。

這對夫婦當初是為了打造自家的庭園，才有了機會一窺地下世界。從生物學家改當園藝家的安妮為了打造夢想庭園，握著鏟子卯足全力挖土，這時從地面下探出頭來的是，與肥沃土壤有著極大落差的無機質冰川泥礫。該怎麼做才能夠讓這片荒土獲得重生？為了讓庭園重拾活力，安妮持續灌注土壤所需的物質，也就是有機物。結果，安妮發現堆積在土壤上的好幾噸有機物，過不了多久就會被分解，慢慢從腳邊的世界消失。到底是誰吃掉了有機物？

夫婦倆探頭觀察深遠的地下世界後，小到肉眼看不見的「藏起的另一半大自然」露出臉來。安妮加入庭園土壤裡的有機物使微生物的活動變得活絡，這促進了植物生長，更進一步地形成了有機物，創造出良性循環。因為在地下注入了生命，使得安妮的庭園得以再次擁抱滿滿的生命。

一旦得知這個事實後，再看見掉落滿地朽葉的山林時，想必會有與以前不同的感受。或許會覺得山林看起來像是鋪滿豐盛料理的宴會餐桌。晚餐會的客人們住在土壤中，並且擁有獨特的能力，可以把吃進肚子裡的料理再次化為可供植物攝取的養分。土壤中的一切生物終究都會成為其他生物的獵物，被捕食、死去、排泄。如此無止盡的循環，將會帶來可使新生命發芽的肥沃土壤。

——《土壤與內臟》

這個地下世界所編織出來的磅礴故事，讓安妮對人類的生命有所察覺，其契機是因為安妮罹患了癌症。為了抑制癌症，安妮必須限制飲食，並因此重新審視自己的身體後，發現體內住著細菌、病毒等各種微生物。此外，安妮也理解了免疫力與這些「微生物的棲息環境品質」息息相關，更進一步地把人類的消化道徹查一遍後，安妮發現消化道發揮著與植物根部相同的作用。

這本書不是如達爾文的進化論般，強調「人類體內住著數量多過銀河星辰的無數微生物，而追溯到生命進化的起源後，就會發現是個體之間的競爭促使生命進化」，本書震撼人的地方是，強調我們反而是因為與微生物共生而得以生存，並描繪出顛覆過往世界觀的現實。一路來，微生物反覆分解一切有機物，持續從「死亡」中孕育出新生命。雖然我們無法直接看見藏在腳下的世界，但如果發揮想像力，就能看見其樣貌。

從死的角度看見了無數的生

因我無法為死亡佇足，
他體貼地為我停下腳步。
馬車只乘載我們兩人，
以及「永生」。

這段美麗的開頭，是代表美國詩人艾蜜莉・狄金生（Emily Dickinson）所寫的七一二號詩作中的一小段，這段詩句也被人們命名為「馬車」。美國評論家艾倫・泰特（Allen Tate）曾激賞不已地表示「狄金生的『馬車』是英文詩當中最完整的作品之一」。此外，「馬車」也刺激了美國作家威廉・史岱隆（William Styron）的想像力，成為榮獲普立茲獎之不朽傑作《蘇菲的抉擇》（*Sophie's Choice*）誕生的催化劑。為什麼「死亡」與「永生」能夠如此激發人類的想像力呢？

日本作家中島羅門在《我不懂》一書中，描述到人類會依邏輯、語言而思考，或許死亡就是思考所產生的錯覺之一。

既然世上存在著「死」這個字眼，就表示「死」代表著一種存在狀態。也就是說，「死」是身為存在型態之一而「在那裡」。那麼，它究竟是以什麼樣的狀態「在那裡」？死後世界的概念就是從這樣的疑問之中形成的。說起來，這不就是語言所帶來的一種錯覺嗎？

嚴格來說，「活著」的相反概念並非「死」，而應該是「沒活著」。倘若「生」代表著「在那裡」，「沒活著」所代表的意思理應是「無」。如果不是「活著」，那就是「沒活著」，只有這兩種狀況而已。所謂「死」的狀態，不過是只能憑靠想像力來預想的虛構概念。哪怕是騙人的也沒關係，拜託告訴我死後世界長什麼樣？中島表示人們會有這樣的渴望是因為「業」，正因為如此，宗教才得以有立足之地。

「我一個不小心看了日本演員丹波哲郎的電影《大靈界》。」中島以毫無緊張感的這句話作為開場白，接著就像坐上雲霄飛車一樣，疾速省思起「死後世界」、何謂死亡？活著是怎麼回事？其省思內容簡潔有力，且富有詩意。

舉例來說，在思考一個個體時，試著不要以「死後世界」，而是從個體死亡回溯回去的概念來思考看看。以我來說，如果回溯我這個個體所經歷過的時間，我會越來越年輕，然後變成小嬰兒。如果更往前回溯，我會是一顆受精卵。我身為我的存在就到這裡為止。不過，在那另一端不是死，而是無限的生。我會被分為精子和卵子。精子回溯回去會是我的父親、卵子是我的母親。這時再以同樣的方法回溯父親和母親後，就會像在玩倍增遊戲一樣不斷分枝，延伸到無數的「生」。這裡找不到任何死的存在。在這裡是一片波光粼粼的「生」之海，所有源頭的生命都蘊含在此。無限的生收斂後，匯集成「我」這個結點，而在越過我的另一端，也就是未來，又會有同樣的無限的生往外延伸。

——《我不懂》

我們打從出生的那一刻，即伸手朝向死亡逐漸成長；第一次讀到這句話時，改變了我看待世界的觀點。若是從死的角度來看世界，只會看見無限的生。生的相反並非死。實在難以想像如此令人震撼的文章，竟是從丹波哲郎的電影《大靈界》展開。翻開書本閱讀時，永遠不會知道下一行會發生什麼事。正因為如此，閱讀才教人欲罷不能。

結語
與書的邂逅，即是與人的邂逅

仰望書店的書架時，會知道書架大概有兩公尺高，由下往上數一共分為七層。在書架上一層一層地排書時，雖然依書本厚度會有所差異，但一層大約能夠排上三十本書。一整個書架可排上大約二一十本書。本書依章節不同，書本的數量會有些差異，但我把每一章節視為書架的一層，並以自己的方式介紹了排滿整個書架的各種書籍。讀者朋友們從頭到尾看過書架一遍後，若能感受到相鄰的每一本書之間的故事樂趣，將會是我最大的幸福。感謝大家願意聽我這個小小的書店員，一路介紹讀書到最後。

多虧有了機會撰寫這本書，讓我重新強烈體會到與書籍的邂逅，即是與人的邂逅。透過書籍，我們能夠接觸到早在千年前就存在的書籍作者，以及閱讀過該書籍的人們想法。透過書籍，能夠跨越漫長遙遠的時光，在無關乎出生地、年齡、立場之下，得知對方面對了什麼、有了什麼感受和想法。

如果想見蘇格拉底或柏拉圖一面，那要先訂好前往希臘的機票，再設法穿越時光回到過去，還必須學會當時的語言，才能豎耳傾聽他們的想法。想要實現這個點子，終究不容易。不過，我們知道一手就能掌握的小小文庫本，早已實現了這個點子。

仔細一想，我之所以能夠擁有現在這份工作、能夠得知以前不知道的新世界，都是因為身邊總有書籍的陪伴。

一般來說，書本的結語都會寫出向所有參與者表達謝意的內容。

這本書也不例外，若是少了與人的邂逅，這本書就不可能問世。

已故島影透先生創辦了Sangha出版社，並出版佛教綜合雜誌《Sangha Japan》，最初是一位從學生時期就有交情的朋友，主動問我要不要在《Sangha Japan》寫佛教書的書籍導覽。這位朋友是五十嵐幸司先生，也是這本書的責任編輯。為了協助我寫出夠水準刊登在專業雜誌的閱讀導覽內容，五十嵐先生貼心地每個月寄來資料讓我有機會學習。

把連載內容整理成一本佛教書籍導覽書的出版企劃定案四天後，我體會到人生真的宛如連續劇般有起有伏。五十嵐先生打了好幾次電話來，漏接電話的我急忙回電。

「真的很抱歉，出書的案子沒了。我們在開編輯會議時，公司突然宣布破產，所有員工也當場失業。抱歉，我明天就是無業遊民了。」

老實說，我當時真的覺得這下子不會再有出書的機會了。沒想到面臨比我更嚴峻事態的五十嵐先生，持續鼓勵我說：「難得已經做到這個程度，我們不要輕言放棄，努力把書做得更好吧！」我們兩人反過來正向看待這場逆境，決定不局限於佛教書籍的領域，改為挑戰人生的書籍導覽書，並且一起重新撰寫內容。

五十嵐先生忙著找工作的同時，也拿著新寫的原稿四處拜訪出版社，多虧有了他的付出，最後得到誠文堂新光社的青木耕太郎先生的關注。

「我可以感受到這本書的潛力。我會試著在編輯會議上提案看看。」接到青木先生的聯絡時，我不由得高舉緊握的拳頭。後來在青木先生針對書名、結構、文章內容適切給予建議下，順利完成了這本書的製作。最難能可貴的是，每次當我有所困惑時，青木先生總會不厭其煩地拿出最根本的問題，詢問我說：「三砂先生，你真正想透過這本書傳達什麼？」

不論提出什麼想法，青木先生總是積極接受，好幾次就快趕不上進度，也是青木先生幫忙重新安排行程。本書之所以能夠順利出版，無疑是多虧有了青木先生的引導。我不知道在心中這麼說過多少遍，第一本書能夠由青木先生負責編輯真是太幸運了！

另外，打從在《Sangha Japan》連載時，從事編輯的中田亞希小姐便一直提供協助，很幸運地，這本書也能繼續得到中田小姐的協助。深深感謝佛教書為我帶來了好運，也幫我牽起了緣分。

我平常的工作是在書店裡賣書。

這次第一次有機會出書，讓我深刻感受到一本書的製作必須經由許多人的協助才得以完成。

我這個人沒什麼長處，就只是個愛書人，當初若不是有Culture Convenience Club株式會社的諸多人士，我也不會有機會以書店員的身分工作。還有，從籌備分店時便一路同甘共苦走來的梅田 蔦屋書店的同事們，如果少了你們，就不會有現在的我。真的非常謝謝大家！

最後，我要向從我出生到現在，不論我跌倒多少遍，仍耐心持續為我加油打氣的父母親，以及總是在身邊支持我的妻子和兒子獻上感謝之意。本書的標題是我的第一位讀者，同時也一路協助我修潤文章到最後的妻子三砂愛為我命名的。若少了家人，這本書就不可能順利問世。

謝謝各位朋友閱讀到最後，我衷心期盼未來某一天能夠在某處與閱讀過這本書的你們相遇，一起聊聊書的話題。

推薦書單

期望各位朋友也能有機會閱讀這些作品。

1. 《非普通讀者》（*The Uncommon Reader*）亞倫・班奈（Alan Bennett）◎著

前言

2. 《裡外人生錄》（うらおもて人生録）色川武大◎著
3. 《快壞了的指南》（壊れかけ指南）筒井康隆◎著
4. 《名哲言行錄》（*Lives of Eminent Philosophers*）第歐根尼・拉爾修（Diogenes Laertius）◎著

5.《古代書物》（*Books and readers in ancient Greece and Rome*）弗羅德里克・G・肯永（Frederic G. Kenyon）◎著

6.《自己的房間》（*A Room of One's Own*）維吉尼亞・吳爾芙（Virginia Woolf）◎著

7.《源氏物語（上・中・下）》紫式部◎著；角田光代◎譯

8.《和泉式部日記／紫式部日記／讚岐典侍日記（新編日本古典文學全集26）》藤岡忠美、中野幸一、犬養廉、石井文夫◎校注、翻譯

9.《我讀過的書》（*Mein Lesebuch*）麥克・安迪（Michael Ende）◎著

第1章

10.《夜間飛行》（*Vol de Nuit*）安東尼・聖修伯里（Antoine de Saint-Exupéry）◎著

11.《家常便飯》（日常茶飯事）山本夏彥◎著

12.《讀書論》（*On Reading and Books*）叔本華◎著

13.《傳說中的灘校國文課》（灘校・伝説の国語授業）橋本武◎著

14.《銀湯匙》（銀の匙）◎著

15.《讀書是一種格鬥技巧》（読書は格闘技）瀧本哲史◎著

16.《山月記》（山月記・李陵　他九篇）中島敦◎著

17.《故鄉／阿Q正傳》魯迅◎著

18.《我的奮鬥》（*Mein Kampf*）阿道夫・希特勒（Adolf Hitler）◎著

19.《以村上先生的例子來說呢？》（村上さんのところ）村上春樹◎著

20.《泰阿泰德》（*Theaetetus*）柏拉圖◎著

21.《形而上學》（*Metaphysics*）亞里斯多德◎著

22.《決定版卡夫卡全集9》（決定版カフカ全集9）法蘭茲・卡夫卡（Franz Kafka）◎著

23.《跳脫文字》（言葉の外へ）保坂和志◎著

24.《越看越醒腦的宇宙故事（增訂版）》（眠れなくなる宇宙のはなし増補改訂版）佐藤勝彥◎著

25.《過程與實在》（*Process and Reality*）阿爾弗雷德・諾斯・懷海德（Alfred North Whitehead）◎著

26.《別想擺脫書》（*N'espérez pas vous débarrasser des livres*）安伯托・艾可（Umberto Eco）、凱立瑞（Jean-Claude Carrière）◎著

27.《書本也參戰》（*When books went to war*）茉莉・戈波提爾・曼寧（Molly Guptill Manning）◎著

28.《監獄讀書俱樂部》（*The Prison Book Club*）安・沃姆斯利（Ann Walmsley）◎著

29.《堅忍號漂流記》（*Endurance*）歐內斯特・沙克爾頓（Ernest Shackleton）◎著

30.《阿拉斯加，光與風》（アラスカ 光と風）星野道夫◎著

31.《潛水鐘與蝴蝶》（*Le Scaphandre et le papillon*）尚－多米尼克・鮑比（Jean-Dominique Bauby）◎著

32.《活出意義來》（*Men's search for meaning*）弗蘭克（Viktor E. Frankl）◎著

33.《四歲的我從奧斯威辛集中營生還》（*Survivors Club: The True Story of a Very Young Prisoner of Auschwitz*）麥可・伯恩斯坦（Michael Bernstein）◎著

34.《佛陀教你不生氣》（怒らないこと）蘇曼那沙拉（Alubomulle Sumanasara）◎著

35.《方法論》（*Discours de la méthode*）笛卡兒（René Descartes）◎著

36.《佛陀的法句經　自説經》（ブッダの真理のことば 感興のことば）中村元◎譯

37.《佛陀的啟示》羅睺羅・化普樂◎著

38.《正法眼藏 全譯註（全八集）》（正法眼蔵 全訳注［全8巻］）增谷文雄◎著

39.《我要活下去「正法眼藏・現成公案」現代文譯》（わたしを生きる　現代語訳「正法眼蔵・現成公案」）村田和樹◎著

40.《何謂我？》（私とは何か）上田閑照◎著

41.《麥田捕手》（*The Catcher in the Rye*）沙林傑（Jerome David Salinger）◎著

42.《蚊子》（蚊）椎名誠◎著

第2章

43.《供詞與詛咒》（*Aveux et anathèmes*）蕭沆（Emil Cioran）◎著

44.《獻給人生過得痛苦的你》（生まれてきたことが苦しいあなたに）大谷崇◎著

45.《歷史與烏托邦》（*History and Utopia*）蕭沆◎著

46.《誕生的災難》（*De l'inconvenient d'être né*）蕭沆◎著

47. 《自我肯定的奇蹟：日本人際關係諮商首席專家，帶你找到通往幸福的途徑》（自己肯定感、持っていますか？あなたの世界をガラリと変える、たったひとつの方法）水島廣子◎著

48. 《高敏感卻不受傷的七日練習：強化心理韌性，做個對外元融溫柔，內在強大堅定的人》（敏感すぎるあなたが7日間で自己肯定感をあげる方法）根本裕幸◎著

49. 《活出自我肯定感：提升自信的關鍵六感，找回不怕受挫、受傷的心理實力》（自己肯定感の教科書　何があっても「大丈夫。」と思えるようになる』）中島輝◎著

50. 《高敏感是種天賦：肯定自己的獨特，感受更多、想像更多、創造更多》（*Highly Sensitive People in an Insensitive World*）伊麗絲・桑德（Ilse Sand）◎著

51. 《發展障礙》（発達障害）岩波明◎著

52. 《高敏人的職場放鬆課》（「気がつきすぎて疲れる」が驚くほどなくなる　「繊細さん」の本）武田友紀◎著

53. 《還不如不來：出世的禍害》（*Better never to have been*）大衛・貝納塔（David Benatar）◎著

54.《平成論 回顧「生活不易」的三十年》（平成論 「生きづらさ」の30年を考える）池上彰、上田紀行、中島岳志、弓山達也◎著

55.《遭遇「幾乎不會發生的事」的人看見了什麼樣的社會？》（「ほとんどない」ことにされている側から見た社会の話を）小川珠佳◎著

56.《邁向美麗之國》（美しい国へ）安倍晉三◎著

57.《治療師》（セラピスト）最相葉月◎著

58.《發展障礙的心理治療方式》（発達障害への心理療法的アプローチ）河合俊雄◎編製；田中康裕、畑中千紘、竹中菜苗◎著

59.《在健康清潔、遵守道德秩序的社會下之不自由》（健康的で清潔で、道徳的な秩序ある社会の不自由さについて）熊代亨◎著

60.《雖然痛苦到想死，卻無法辭職的理由》（「死ぬくらいなら会社辞めれば」ができない理ワケ由）汐街可奈◎著

61.《死屋手記》（*The House of the Dead*）杜斯妥也夫斯基（Fyodor Dostoyevsky）◎著

62.《有贈與，才有世界》（世界は贈与でできている—資本主義の「すきま」を埋める

倫理学）近内悠太◎著

63.《我是黃，也是白，還帶著一點藍》（ぼくはイエローでホワイトで、ちょっとブルー）美佳子・布雷迪（Mikako Brady）◎著

64.《爸爸告訴我》（*Papa told me*）榛野奈奈惠◎著

65.《爸爸告訴我～在咖啡廳摸魚～》（Papa told me～カフェで道草～）榛野奈奈惠◎著

66.《片斷人間：貓、酒店公關與乘夜行巴士私奔的女子，關於孤獨與相遇的社會學》（断片的なものの社会学）岸政彥◎著

67.《都是溫柔的孩子：奈良少年監獄「詩與繪本」教室》（あふれでたのはやさしさだった）寮美千子◎編製

68.《因為天空很藍，所以我選了白色》（空が青いから白をえらんだのです　奈良少年刑務所詩集）寮美千子◎著

69.《你能愛你的傷嗎？》（傷を愛せるか）宮地尚子◎著

70.《秋葉原事件 加藤智大的心路歷程》（秋葉原事件　加藤智大の軌跡）中島岳志◎著

71.《視線地獄》（まなざしの地獄）見田宗介◎著

72.《我讀『空氣』但不盲從：不受情緒影響，拒絕「人際空汙」的思考練習》（「空気」を読んでも従わない─生き苦しさからラクになる）鴻上尚史◎著

73.《這是水》（*This Is Water*）大衛・福斯特・華萊士（David Foster Wallace）◎著

第3章

74.《傳染病時代的我們》（*Nel contagio*）保羅・裘唐諾（Paolo Giordano）◎著

75.《偶然的科學》（*Chance*）鄧肯・沃茨（Duncan Watts）◎著

76.《我想對你說》（伝えたいこと）濱崎洋三◎著

77.《創造自己的工作》（自分の仕事をつくる）西村佳哲◎著

78.《小屋》（スモールハウス　3坪で手に入れるシンプルで自由な生き方）高村　友也◎著

79.《我決定簡單的生活》（ぼくたちに、もうモノは必要ない。- 断捨離からミニマリストへ）佐佐木典士◎著

80.《與成功有約：高效能人士的七個習慣》（*The 7 Habits of Highly Effective People*）史蒂芬・柯維（Stephen R. Covey）◎著

81.《從網路上的零股開始交易，靠股票賺進一億元！》（インターネットのミニ株取引から始めて株で1億円作る）仁科剛平◎著

82.《貓咪也看得懂的股票入門書》（ネコでもわかる株入門―超ビギナーのためのメチャやさしい株の解説）股票入門研究會◎著；秋本英明◎監修

83.《這樣買股票就對了》（株はこうして買いなさい10万円で始める株式投資入門）

Diamond社◎編製

84.《「股票」、「投資信託」、「外幣存款」一點就通的基礎講座》（「株」「投資信託」「外貨預金」がわかる基礎の基礎講座）細野真宏◎編製

85.《誰搬走了我的乳酪？》（*Who Moved My Cheese?*）史賓賽・強森（Spencer Johnson）◎著

86.《富爸爸，窮爸爸》（*Rich Dad, Poor Dad*）羅勃特・T・清崎（Robert Kiyosaki）◎著

87.《目標：簡單有效的常識管理》（*The Goal: A Process of Ongoing Improveme*）伊利雅胡・

高德拉特（Eliyahu M. Goldratt）◎著

88. 《退休生活大全》（定年後大全　セカンドライフの達人になる50のツボ）日本經濟新聞 Money & Life 採訪小組◎編製

89. 《年收三百萬元時代的生存經濟學》（年収３００万円時代を生き抜く経済学　給料半減が現実化する社会で「豊かな」ライフスタイルを確立する）森永卓郎

90. 《擁有好人緣的說話技巧》（和田裕美の人に好かれる話し方）和田裕美◎著

91. 《100 歲的人生戰略》（*The 100-Year Life*）林達・葛瑞騰（Lynda Gratton）、安德魯・史考特（Andrew Scott）◎著

92. 《工作轉移》（*Work Shift*）林達・葛瑞騰◎著

93. 《我東大畢業，立志成為農夫的得意助手》（東大卒、農家の右腕になる。小さな経営改善ノウハウ 100）佐川友彥◎著

94. 《美味的資本主義》（おいしい資本主義）近藤康太郎◎著

95. 《真實搖滾》（リアルロック）近藤康太郎◎著

96. 《阿囉哈獵人開張》（アロハで猟師、はじめました）近藤康太郎◎著

97. 《子彈寫作：25發狩獵式寫作技巧，只要三行文字就能擊中人心》（三行で撃つ〈善く、生きる〉ための文章塾）近藤康太郎◎著

98. 《看過13本世界經典名著的「故事大綱」，就能明白一切的人生意義》（「あらすじ」だけで人生の意味が全部わかる 世界の古典13）近藤康太郎◎著

99. 《戰爭與和平》（*War and Peace*）托爾斯泰（Leo Tolstoy）托爾斯泰（Leo Tolstoy）的

100. 《塑膠海洋》（*Plastic Ocean*）查爾斯・摩爾船長（Charles Moore）、卡桑德拉・菲利浦斯（Cassandra Phillips）◎著

101. 《我是葛莉塔：環保鬥士葛莉塔與母親合著的唯一傳記》（*Scener ur hjärtat*）葛莉塔・通貝里（Greta Thunberg）、瑪蓮娜・恩曼（Malena Ermman）、斯凡特・通貝里（Svante Thunberg）、碧雅塔・恩曼（Beata Ermman）◎著

102. 《物體系》（*Le système des objets*）尚・布希亞（Jean Baudrillard）◎著

103. 《美麗新世界》（*Brave New World*）阿道斯・赫胥黎（Aldous Huxley）◎著

104. 《在亞馬遜的倉庫陷入絕望，在Uber車上發飆》（*Hired: Six Months Undercover in Low-Wage Britain*）詹姆斯・布勞德沃斯（James Bloodworth）◎著

105. 《獨自打保齡球》（*Bowling Alone*）羅伯特・D・普特南（Robert D. Putnam）◎著
106. 《共享》（*Share: What's mine is yours*）雷切爾・博茨曼（Rachel Botsman）、盧・羅傑斯（Roo Rogers）◎著
107. 《We的市民革命》（Weの市民革命）佐久間裕美子◎著
108. 《農民藝術概論》（農民芸術概論）宮澤賢治◎著
109. 《在深山當尼特族》（「山奥ニート」やってます）石井新◎著
110. 《四○%的工作沒意義，為什麼還搶著做？論狗屁工作的出現與勞動價值的再思》（*Bullshit Jobs*）大衛・格雷伯（David Graeber）◎著
111. 《在崩壞的世界裡尋找美好生活》（*The Unsettles*）馬克・桑汀（Mark Sundeen）◎著
112. 《半夜的敲門聲》（*A Knock at Midnight*）布列塔尼・K・巴內特（Brittany K. Barnett）◎著
113. 《世界最乾淨機場的清潔人員》（世界一清潔な空港の清掃人）新津春子◎著
114. 《女力當家》（*In The Company Of Women*）葛莉絲・邦尼（Grace Bonney）◎著
115. 《知識盡頭的探索》（*What we cannot know*）馬庫斯・杜・索托伊（Marcus du Sautoy）

◎著

第4章

116. 《只用10%的薪水，讓全世界的財富都聽你的》（*The Richest Man in Babylon*）喬治・S・克拉森（George S. Clason）◎著
117. 《恩德的遺言》（エンデの遺言　根源からお金を問うこと）河邑厚德◎著
118. 《神曲》（*Divine Comedy*）但丁・阿利吉耶里（Dante Alighieri）◎著
119. 《威尼斯商人》（*The Merchant of Venice*）莎士比亞（William Shakespeare）
120. 《威尼斯商人的資本論》（ヴェニスの商人の資本論）岩井克人◎著
121. 《貨幣論》（貨幣論）岩井克人◎著
122. 《比特幣在底格里斯河漂流》（*Before Babylon, Beyond Bitcoin*）大衛・伯奇（David Birch）◎著
123. 《區塊鏈手冊：數位身分篇二〇一八年第一卷》（*Blockchain Handbook for Digital Identity 2018 volume 1*）

124. 《貨幣崛起》（*The Ascent of Money*）尼爾・佛格森（Niall Ferguson）◎著

125. 《善惡經濟學》（*Economics of Good and Evil*）托馬斯・賽德拉切克（Tomáš Sedlá ek）◎著

126. 《政治學》（*Politics*）亞里斯多德◎著

127. 《神學大全》（*Summa Theologica*）多瑪斯・阿奎那（Thomas Aquinas）◎著

128. 《債的歷史：從文明的初始到全球負債時代》（*DEBT*）大衛・格雷伯◎著

129. 《宗教的經濟思想》（宗教の経済思想）保坂俊司◎著

130. 《新共譯聖經》（新共同訳聖書）共同　聖書實行委員會◎著

131. 《新約聖經》

132. 《古蘭經》

133. 《新教倫理與資本主義精神》（*The protestant ethic and the spirit of capitalis*）馬克斯・韋伯（Max Weber）◎著

134. 《近代世界體系》（*The modern world-system*）華勒斯坦（Immanuel Wallerstein）◎著

135. 《我們賴以生存的譬喻》（*Metaphors We Live By*）喬治・雷可夫（George Lakoff）、馬克・

強森（Mark A. Johnson）◎著
136.《凱因斯說服論集》（*Essays in Persuasion*）約翰・梅納德・凱因斯（J. M. Keynes）◎著
137.《人類世的「資本論」》（人新世の「資本論」）齊藤幸平◎著
138.《大洪水之前》（大洪水の前に　マルクスと惑星の物質代謝）齊藤幸平◎著
139.《定位策略》（*Positioning*）阿爾・雷耶斯（Al Ries）、傑克・特魯特（Jack Trout）◎著
140.《大品牌大問題》（*Big Brand,Big Trouble*）傑克・特魯特◎著
141.《爸爸寄來的經濟學情書：一個父親對女兒訴說的資本主義憂鬱簡史》（*Talking to My Daughter About the Economy*）雅尼斯・瓦魯法克斯（Yanis Varoufakis）◎著
142.《金融狂熱簡史》（*A Short History of Financial Euphoria*）約翰・K・高伯瑞（John K.Galbraith）◎著
143.《憤怒的葡萄》（*The Grapes of Wrath*）約翰・史坦貝克（John Steinbeck）◎著
144.《搞不好可能改變無趣未來的投資話題》（くそつまらない未来を変えられるかもし

れない投資の話）山崎 ＯＫ電脳◎著
145.《每次都要像第一次思考》（はじめて考えるときのように）野矢　茂樹◎著
146.《購物繪本》（買物絵本）五味太郎◎著
147.《艱困時代的經濟學思考》（*Good Economics for Hard Times*）阿比吉特・V・班納吉（Abhijit V. Banerjee）、艾絲特・杜芙洛（Esther Duflo）◎著

第5章

148.《男人本味》（男の作法）池波正太郎◎著
149.《新天體》（新しい天体）開高健◎著
150.《經常光顧的店家》（行きつけの店）山口瞳◎著
151.《文人料理入門》（文士料理入門）狩野薰、狩野俊◎著
152.《日本主婦的百年餐桌》（ニッポンの主婦１００年の食卓）主婦之友社◎編製
153.《家事祕笈　偷懶也不會被發現的 400 訣竅》（家事祕訣集　じょうずにサボる法・４００）犬養智子◎著

154.《聰明女性都能燒得一手好菜》（聡明な女は料理がうまい）桐島洋子◎著
155.《飲食思想》（小林カツ代の日常茶飯　食の思想）小林勝代◎著
156.《為了聽你說一聲「多謝款待」》（ごちそうさまが、ききたくて。家族の好きないつものごはん140選）栗原晴美◎著
157.《在家輕鬆煮！Bistro SMAP》（おうちで簡単！ビストロスマップ）扶桑社◎編製
158.《速水茂虎道想與妳共享美味的五十道食譜》（速水もこみちが作る50のレシピ　きみと食べたら、きっと美味しい）速水茂虎道◎著
159.《孤獨美食家》（孤独のグルメ）久住昌之◎著；谷口治郎◎漫畫
160.《春魂　咖啡廳餐點》（syunkon カフェごはん）山本YURI◎著
161.《一湯一菜的生活美學》（一汁一菜でよいという提案）土井善晴◎著
162.《冰箱常備菜：週末只花2.5小時搞定一週三餐、便當、點心！》（つくおき週末まとめて作り置きレシピ）Nozomi◎著
163.《世界第一美味の懶人料理法100道》（世界一美味しい手抜きごはん 最速！やる気のいらない100レシピ）好餓的灰熊◎著

164.《煮飯好痛苦》（料理が苦痛だ）本多理惠子◎著

165.《勝間式超邏輯料理》（勝間式超ロジカル料理）勝間和代◎著

166.《美味的饗宴：法國美食家談吃》（*Physiologie du Goût*）薩瓦蘭（Jean Anthelme Brillat-Savarin）◎著

167.《巴黎藍帶廚藝學校日記》（*The Sharper Your Knife, The Less You Cry*）凱瑟琳・弗林（Kathleen Flinn）◎著

168.《改變廢女人生的奇蹟廚藝教室》（*The kitchen counter cooking school*）凱瑟琳・弗林◎著

169.《自由學園的最美味料理》（自由学園　最高の「お食事」95年間の伝統レシピ）JIYU5074Labo ◎著

170.《吃的意義何在？》（食べるとはどういうことか　世界の見方が変わる三つの質問）藤原辰史◎著

171.《英國一家，喫在日本》（*Sushi & Beyond: What the Japanese Know About Cooking*）麥克・布斯（Michael Booth）◎著

172. 《英國一家，繼續喫在日本》（英国一家、日本をおかわり）麥克・布斯◎著

173. 《星火燎原》（*Catching Fire: How Cooking Made Us Human*）理查德・蘭厄姆（Richard Wrangham）◎著

174. 《金枝》（*The Golden Bough*）詹姆斯・喬治・弗雷澤（James George Frazer）◎著

175. 《火源神話》（*Myths of the Origin of Fire*）詹姆斯・喬治・弗雷澤◎著

176. 《神譜》（*Theogony*）赫西俄德（Hesiod）◎著

177. 《神話學：生食和熟食》（*Mythologiques: Le Cru et le cuit*）克勞德・李維史陀（Claude Levi-Strauss）◎著

178. 《神話學：餐桌禮儀的起源》（*Mythologiques: L'Origine des manières de table*）克勞德・李維史陀◎著

179. 《雜食者的兩難》（*The Omnivore's Dilemma*）麥可・波倫（Michael Pollan）◎著

180. 《烹：火、水、風、土，開啟千百年手工美味的祕鑰》（*Cooked: A Natural History of Transformation*）麥可・波倫◎著

181. 《備戰廚房：美軍怎樣塑造你的飲食方式》（*Combat-Ready Kitchen*）安娜斯塔西亞・

182. 馬克思・德・薩爾塞多（Anastacia Marx de Salcedo）◎著
183. 《魚料理烹飪課》（*SAKANA Lesson*）凱瑟琳・弗林◎著
184. 《美味大挑戰》（美味しんぼ）雁屋哲◎著；花咲昭◎漫畫
185. 《咖哩學入門》（カレー学入門）辛島昇、辛島貴子◎著
186. 《印度・咖哩紀行》（インド・カレー紀行）辛島昇◎著；大村次郎◎攝影
187. 《咖哩飯與日本人》（カレーライスと日本人）森枝卓士◎著
188. 《印度咖哩傳》（*Curry: A Biography*）莉琪・科林漢（Lizzie Collingham）◎著
《中村屋的鮑斯》（中村屋のボース　インド独立運動と近代日本のアジア主義）中島岳志◎著

第6章

189. 《孩子失控怎麼辦：三十個讓孩子恢復平靜的技巧》（*Breathe Like a Bear: 30Mindful Moments for Kids to Feel Calm and Focused Anytime, Anywhere*）凱拉・威利◎著
190. 《最高休息法：全世界的菁英們都是這樣讓大腦休息》（世界のエリートがやってい

る最高の休息法）久賀谷亮◎著

191.《致命壓力》（キラーストレス）ＮＨＫ特別節目採訪小組◎著

192.《道德動物：我們為何如此思考、如此選擇？》（*The Moral Animal: Why We Are the Way We Are: The New Science of Evolutionary Psychology*）羅伯特・賴特（Robert Wright）◎著

193.《令人神往的靜坐開悟：普林斯頓大受歡迎的佛學與現代心理學》（*Why Buddhism is True*）羅伯特・賴特◎著

194.《覺醒的宗教》（*The Faces of Buddhism in America*）肯尼斯・田中（Kenneth Ken'ichi Tanaka）◎著

195.《禪思想史講義》（禅の語録導読）小川隆◎著

196.《Tokyo Boogie Woogie 與鈴木大拙》（東京ブギウギと鈴木大拙）山田奨治◎著

197.《禪學入門》（*An Introduction to Zen Buddhism*）鈴木大拙◎著

198.《在路上》（*On the Road*）傑克・凱魯亞克（Jack Kerouac）◎著

199.《達摩流浪者》（*The Dharma Bums*）傑克・凱魯亞克◎著

200.《禪者的初心》（*Zen Mind, Beginner's Mind*）鈴木俊隆◎著
201.《禪的教室》（禅の教室　坐禅でつかむ仏教の真髄）藤田一照、伊藤比呂美◎著
202.《活在當下》（*Be here now*）拉姆・達斯（Ram Dass）、達賴喇嘛基金會◎著
203.《唐望的教誨》（*The Teachings Of Don Juan*）卡洛斯・卡斯塔尼達（Carlos Castañeda）◎著
204.《物理學之道》（*The Tao of Physics*）弗里喬夫・卡普拉（Fritjof Capra）◎著
205.《正念療癒力：八週找回平靜、自信與智慧的自己》（*Full Catastrophe Living*）喬・卡巴金（Jon Kabat-Zinn）◎著
206.《正念最前線》（マインドフルネス最前線　瞑想する哲学者、仏教僧、宗教人類学者、医師を訪ねて探る、マインドフルネスとは何か）香山理香◎著
207.《東洋冥想的心理學：從易經到禪》（*The Psychology of Eastern Meditation*）榮格（Carl Gustav Jung）◎著
208.《正念工作》（*Mindful Work*）大衛・吉爾斯（David Gelles）◎著
209.《Google的正念革命》（グーグルのマインドフルネス革命グーグル社員5万人の「10

人に1人」が実践する最先端のプラクティス）Sangha 編輯部◎著

210. 《搜尋你內心的關鍵字：Google 最熱門的自我成長課程！幫助你創造健康、快樂、成功的人生，在工作、生活上脫胎換骨！》（*Search Inside Yourself*）陳一鳴◎著

211. 《思想錄》（*Pensées*）帕斯卡爾（Blaise Pascal）◎著

212. 《拯救手機腦：每天5分鐘，終結數位焦慮，找回快樂與專注力》（*Skärmhjärnan*）安德斯·韓森（AndersHansen）◎著

213. 《運動改造大腦：活化憂鬱腦、預防失智腦，IQ和EQ大進步的關鍵》（*Spark*）約翰·J·瑞提（John J. Ratey）、艾瑞克·海格曼（Eric Hagerman）◎著

214. 《找回野生的自己》（*Go Wild: Free Your Body and Mind from the Afflictions of Civilization*）約翰·J·瑞提◎著

215. 《天生就會跑》（*Born to Run*）克里斯多福·麥杜格（Christopher McDougall）◎著

216. 《讓大自然為你創造理想大腦》（*The Nature Fix: Why Nature Makes us Happier, Healthier, and More Creative*）弗洛倫斯·威廉姆斯（Florence Williams）◎著

217. 《如何練習讓意識集中在「當下」？》（*How to Train a Wild Elephant*）揚·喬森·貝

斯（Jan Chozen Bays）◎著

第7章

218.《可不可以不變老？：喚醒長壽基因的科學革命》（*Lifespan*）大衛・A・辛克萊（David A. Sinclair）、馬修・D・拉普蘭提（Matthew D.Laplante）◎著

219.《我是賽伯格—彼得 2.0：從漸凍進化到終極自由，全球首位完整半機器人回憶錄》（*Peter 2.0: The Human Cyborg*）彼得・史考特－摩根（Peter Scott-Morgan）◎著

220.《論生死與臨終》（*On death and Dying*）伊莉莎白・庫伯勒－羅斯（Elisabeth Kübler-Ross）◎著

221.《天使走過人間：生與死的回憶錄》（*The Wheel of Life - A Memoir of Living and Dying*）伊莉莎白・庫伯勒－羅斯◎著

222.《善惡的彼岸》（*Jenseits von Gut und Böse*）尼采◎著

223.《令人著迷的生與死：耶魯大學最受歡迎的哲學課》（*Death*）謝利・卡根（Shelly Kagan）◎著

224.《探究真理》（真理の探究　仏教と宇宙物理学の対話）佐佐木閑、大栗博司◎著
225.《佛陀玩科學》（科学するブッダ）佐佐木閑◎著
226.《夜之讚歌》（*Hymnen an die Nacht*）諾瓦利斯（Novalis）◎著
227.《不同顏色的悲傷》（悲しみの秘義）若松英輔◎著
228.《小氣財神》（*A Christmas Carol*）查爾斯．狄更斯（Charles Dickens）◎著
229.《心之旅》（こころの旅）神谷美惠子◎著
230.《小說集　夏之花》（小說集　夏の花）原民喜◎著
231.《很多事情都是理所當然》（あたりまえなことばかり）池田晶子◎著
232.《禪的第一義》（*The Primary Purpose of Western Zen*）鈴木大拙◎譯
233.《岡倉天心全集（全八集別集1）》（岡倉天心全集（全八巻別巻1））岡倉天心◎著
234.《文學與存在主義》（*What Is Literature?*）沙特（Jean-Paul Sartre）◎著
235.《榮格心理學與佛教》（ユング心理学と仏教）河合隼雄◎著
236.《為死亡哀悼的動物們》（*How animals grieve*）芭芭拉．J．金（Barbara J. King）

◎著

237.《新科學人：起源圖鑑》（*New Scientist The Origin of (almost) Everything*）格雷厄姆・勞頓（Graham Lawton）◎著

238.《保守與立憲》（保守と立憲　世界によって私が変えられないために）中島岳志◎著

239.《大眾的反叛》（*The Revolt of the Masses*）奧特加・加塞特（José Ortega y Gasset）◎著

240.《最後十四堂星期二的課》（*Tuesdays with Morrie*）米奇・艾爾邦（Mitch Albom）◎著

241.《分解哲學》（分解の哲学　腐敗と発酵をめぐる思考）藤原辰史◎著

242.《古事記》（古事記）太安萬侶◎著

243.《生命的涅槃：動物的死亡之道》（*Life Everlasting: A Definitive Study of Life After Death*）貝恩德・海因里希（Bernd Heinrich）◎著

244.《土壤與內臟》（*The hidden half of Nature*）大衛・R・蒙哥馬利（David R. Montgomery）、

安妮・比克爾（Anne Biklé）◎著
245. 《狄金生詩選》（*The Poems of Emily Dickinson*）艾蜜莉・狄金生（Emily Dickinson）◎著
246. 《蘇菲的抉擇》（*Sophie's Choice*）威廉・史代隆（William Styron）◎著
247. 《我不懂》（僕にはわからない）中島羅門◎著

結語

248. 《Sangha Japan》Sangha 編輯部◎編製
249. 《企業的人事》（会社の人事　中桐雅夫詩集）中桐雅夫◎著
250. 《金子光晴詩集》（金子光晴詩集）金子光晴◎著

線上讀者回函

采實文化　翻轉學

書本擁有撼動人生和改變世界的力量，是幸福之人的「避難所」，更為面臨困難的人打開新的門。

獻給「愛書人」的一冊情書，懂閱讀，讓書本成為翻轉人生的貴人！

——《邂逅改變人生的一本書》

https://bit.ly/37oKZEa

立即掃描QR Code或輸入上方網址，

連結采實文化線上讀者回函，

歡迎跟我們分享本書的任何心得與建議。

未來會不定期寄送書訊、活動消息，

並有機會免費參加抽獎活動。采實文化感謝您的支持 ☺

翻轉學　翻轉學系列 120

邂逅改變人生的一本書

每一本書都是通往不同世界的門口，讓無數人生變好的契機

千年の読書 - 人生を変える本との出会い

作　　者　三砂慶明
譯　　者　林冠汾
封面設計　Dinner Illustration
內文排版　許貴華
行銷企劃　魏玟瑜
出版二部總編輯　林俊安

出 版 者　采實文化事業股份有限公司
業務發行　張世明・林踏欣・林坤蓉・王貞玉
國際版權　施維真・王盈潔
印務採購　曾玉霞・莊玉鳳
會計行政　李韶婉・許俽瑀・張婕莛
法律顧問　第一國際法律事務所　余淑杏律師
電子信箱　acme@acmebook.com.tw
采實官網　www.acmebook.com.tw
采實臉書　www.facebook.com/acmebook01

ISBN　978-626-349-440-4
定　價　380 元
二版一刷　2023 年 10 月
劃撥帳號　50148859
劃撥戶名　采實文化事業股份有限公司
104 台北市中山區南京東路二段 95 號 9 樓
電話：(02)2511-9798　傳真：(02)2571-3298

國家圖書館出版品預行編目資料

邂逅改變人生的一本書：每一本書都是通往不同世界的門口，讓無數人生變好的契機 / 三砂慶明著；林冠汾譯 . -- 初版 . – 台北市 : 采實文化 , 2023.10
304 面 ; 14.8×21 公分 . -- (翻轉學系列 ; 120
譯自：千年の読書 - 人生を変える本との出会い
ISBN 978-626-349-440-4 (平裝)
1.CST: 閱讀指導 2.CST: 讀書法 3.CST: 成功法
019.1　112014750

采實出版集團
ACME PUBLISHING GROUP